Paru dans Le Livre de Poche :

LES ENFANTS TERRIBLES
LA MACHINE INFERNALE
LA DIFFICULTÉ D'ÊTRE
CLAIR-OBSCUR
ŒUVRES DIVERSES (LA POCHOTHÈQUE)

COLLECTION LIBRETTI

JEAN COCTEAU

Opium

Journal d'une désintoxication

Dessins de l'auteur

STOCK

PRÉSENTATION

Jean Cocteau est né en 1889 à Maisons-Laffitte, dans une famille de la haute bourgeoisie. Très tôt au contact du « grand monde », il devient dès ses premiers poèmes en 1908 la coqueluche des salons littéraires, et se lie avec l'avant-garde artistique — Modigliani, Apollinaire, Max Jacob, Diaghilev, Stravinski... Un ballet, Parade *(1917), réalisé avec Picasso et Satie, lui vaut une célébrité de scandale. Parallèlement il écrit* Potomak *(1919), roman autobiographique et poétique né d'une recherche intérieure aux sources de la création.*

*Désormais très lancé, d'une fécondité et d'un brio exceptionnels — dont il sait d'ailleurs se défier — il développe une œuvre abondante qui touche à tous les genres : poésie (*Plain-Chant, *1923), romans (*Thomas l'imposteur, *1923,* Les Enfants terribles, *1929), essais (*Le Secret professionnel, *1922), théâtre (*Antigone, Œdipe roi, La Machine infernale, l'Aigle à deux têtes...*). Illustrateur de ses œuvres, passionné par toutes les formes d'expression, il s'intéresse au cinéma où il donne* Le Sang d'un poète *(1930) puis, après la Seconde Guerre mondiale,* La Belle et la Bête, Orphée, Le Testament d'Orphée... *De cette époque datent deux de ses œuvres les plus personnelles,* La Difficulté d'être *(1947) et* Journal d'un inconnu. *Élu à l'Académie française en 1955, il meurt en 1963.*

Opium est le journal rédigé par Jean Cocteau à la clinique de Saint-Cloud où il subit, de décembre 1928 à avril 1929, une cure de désintoxication (c'est là également qu'il écrit en quelques jours *Les Enfants terribles*). Sur un thème qui fascine la littérature depuis l'âge romantique *(Confessions d'un mangeur d'opium, Les Paradis artificiels...)*, et qu'illustreront plus tard les expériences d'un Henri Michaux, Cocteau ne se propose rien d'autre que d'apporter les éléments les plus objectifs, convaincu que le savoir de la médecine, à laquelle il adresse de dures critiques (« Les docteurs vous confient loyalement au suicide »), et celui du patient, devraient converger et s'épauler.

Mais plus qu'à un témoignage personnel, c'est à une méditation sur la création, sur le style, sur notre rapport même à l'existence, que nous convie l'écrivain. Méditation poétique visant à cerner des notions subtiles, telle que celle de « vitesse » : ce surgissement brusque d'une émotion ou d'une vérité dans l'œuvre d'art, par-delà ses techniques et ses ressources expressives, « avec cette halte ahurie du taureau sortant du toril ». Si l'opium nous apprend quelque chose, c'est précisément un autre rapport à nos propres profondeurs, une autre temporalité, immobile et convulsive, vertigineuse et silencieuse comme celle de la plante.

D'une remarquable pudeur sur les souffrances de la cure, *Opium* est enfin le livre émouvant d'un homme reclus, qui évoque librement ses admirations ou ses affections, qu'elles aient nom Marcel Proust, Picasso, Raymond Roussel, Eisenstein. Un livre de lucidité, aussi, qui répond pleinement à la maxime d'Oscar Wilde citée aux premières pages : « Le seul crime est d'être superficiel. Tout ce qui est compris est bien. »

DÉDICACE A JEAN DESBORDES

Même le soleil a des taches. Votre cœur n'en a pas. Chaque jour vous me donnez ce spectacle : votre surprise d'apprendre que le mal existe.

Vous venez d'écrire LES TRAGÉDIES, *un livre au-dessus des syntaxes. En guise d'épigraphe vous citez quatre vers de moi. Je vous offre ces notes en échange, parce que vous possédez au naturel cette* légèreté profonde *que l'opium imite un peu.*

Mon cher bon grand fond malempia.

La Séquestrée de Poitiers.
(D'après l'étude d'André Gide.)

CES dessins et ces notes datent de la clinique de Saint-Cloud (16 décembre 1928-avril 1929*).

Ils s'adressent aux fumeurs, aux malades, aux amis inconnus que les livres recrutent et qui sont la seule excuse d'écrire.

J'ai supprimé les dessins faits sous prétexte de me distraire. Bon gré mal gré, ils sentaient le travail plastique, quelle que fût ma sottise en face des problèmes à l'ordre du jour. Je relate une désintoxication : blessure au ralenti. Les dessins qui suivent seraient des cris de souffrance au ralenti, et les notes, les étapes du passage d'un état considéré comme anormal à un état considéré comme normal.

Ici le ministère public se lève. Mais je ne témoigne pas. Je ne plaide pas. Je ne juge pas. Je verse des pièces à charge et à décharge au dossier du procès de l'opium.

Sans doute m'accusera-t-on de manquer de tenue. Je voudrais bien manquer de tenue. C'est difficile. Le manque de tenue est le signe du héros**.

Je parle d'un manque de tenue fait de chiffres, de notes d'hôtel et de linge sale.

Leit-motiv du DE PROFUNDIS*** :

* Les notes datées de 1930 furent ajoutées sur les épreuves.

** Le signe du héros militaire est la désobéissance, le manque de discipline.

*** Lettre à Lord Alfred Douglas, édition complète.

Le seul crime est d'être superficiel. Tout ce qui est compris est bien.

La répétition de cette phrase agace, mais elle est révélatrice. Ce lieu commun, dernière découverte de Wilde, cesse d'être un lieu commun et commence à vivre par le fait même qu'il le découvre. Il prend la force d'une date.

Je voudrais ne plus me soucier d'écrire bien ou mal ; arriver au style des chiffres.

J'aimerais savoir si la lettre de Wilde est aussi bâclée que sa traduction. Ce serait une victoire sur l'esthétique.

On quitte cette lettre avec l'impression d'avoir lu un chef-d'œuvre de style, parce que tout y est vrai, tout y a le poids mortel des détails indispensables à établir un alibi, à perdre ou à sauver un homme.

Rousseau orne ses chiffres. Il les boucle, il les paraphe. Chopin les enguirlandera. Leurs époques l'exigent. Mais ils manquent de tenue. Ils lavent leur linge sale en famille, c'est-à-dire en public, dans la famille qu'ils se cherchent et qu'ils se trouvent. Ils saignent de l'encre. Ils sont des héros.

*

Je me suis intoxiqué une seconde fois dans les circonstances suivantes :

D'abord, j'ai dû être mal désintoxiqué la première fois. Bien des toxicomanes courageux ignorent les embûches d'une désintoxication, se contentent d'une suppression et sortent ravagés d'une épreuve inutile, avec des cellules infirmes, qu'ils empêchent de revivre par l'emploi de l'alcool et du sport.

J'expliquerai plus loin que les phénomènes incroyables d'une désintoxication, phénomènes contre lesquels la médecine ne peut rien que donner au cabanon l'aspect d'une chambre d'hôtel et exiger du médecin ou de l'infirmière, patience, présence, fluide, au lieu d'être ceux d'un organisme qui se

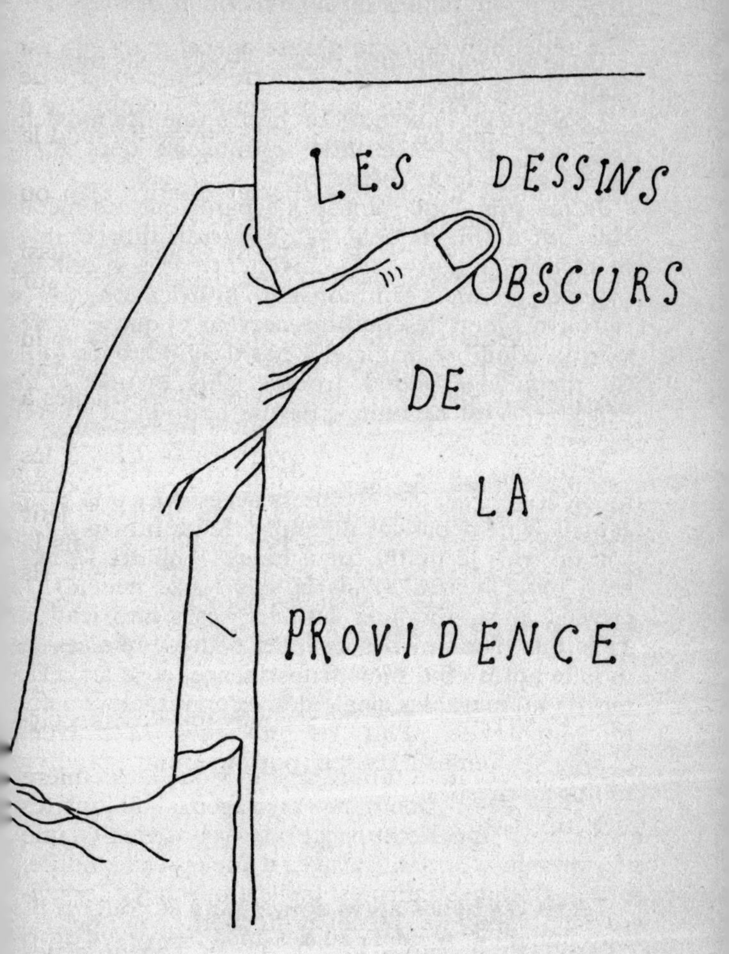
LES DESSINS
OBSCURS
DE
LA
PROVIDENCE

décompose, doivent être, au contraire, les symptômes incommuniqués du nourrisson et des végétaux au printemps.

Un arbre doit souffrir de la sève et ne pas sentir la chute des feuilles.

Le SACRE DU PRINTEMPS orchestre une désintoxication, avec une exactitude scrupuleuse dont Stravinsky ne se doute même pas.

Je me suis donc réintoxiqué parce que les médecins qui désintoxiquent — on devrait dire simplement qui purgent — ne cherchent pas à guérir les troubles premiers qui motivent l'intoxication, que je retrouvais mon déséquilibre nerveux et que je préférais un équilibre artificiel à pas d'équilibre du tout. Ce maquillage moral trompe plus qu'une mine défaite : il est humain, presque féminin, d'y avoir recours.

Je m'intoxiquais avec prudence et sous le contrôle médical. Il existe des docteurs accessibles à la pitié. Jamais je ne dépassais dix pipes. Je les fumais à raison de trois le matin (neuf heures), quatre l'après-midi (cinq heures), trois le soir (onze heures). Je croyais ainsi diminuer les chances d'intoxication. J'allaitais d'opium des cellules neuves, remises au monde après cinq mois d'abstinence, et je les allaitais d'innombrables alcaloïdes inconnus, alors qu'un morphinomane, dont les pratiques m'effrayent, charge ses veines d'un seul poison connu et se livre moins au mystère.

*

J'écris ces lignes après douze jours et douze nuits sans sommeil. Je laisse au dessin la besogne d'exprimer les tortures que l'impuissance médicale inflige à ceux gui chassent un remède en train de devenir un despote.

*

Le sang du morphinomane ne présente aucune trace de morphine. Il est séduisant d'imaginer le jour où les médecins découvriront les cachettes de la morphine et l'attireront dehors par l'entremise d'une substance dont elle sera gourmande, comme d'un bol de lait le serpent, mais encore faudra-t-il que l'organisme supporte le passage brusque d'un automne à un printemps.

Avant cette découverte la science risque de commettre des fautes qui correspondraient à l'emploi de l'hypnose, où elle plongeait les hystériques avant les expériences du docteur Sollier, expériences qui consistent, considérant l'hystérie comme un sommeil pathologique, à réveiller peu à peu le malade, au lieu d'ajouter le mal au mal par une méthode qui revenait à soigner un morphinomane avec de la morphine.

*

Je crois que la nature nous inflige les règles de Sparte et de la termitière. Faut-il les contourner ? Où s'arrêtent nos prérogatives ? Où commence la zone interdite ?

*

Dans l'opium, ce qui mène l'organisme à la mort est d'ordre euphorique. Les tortures proviennent d'un retour à rebrousse-poil vers la vie. Tout un printemps affole les veines, charriant glaces et laves de feu.

Je conseille au malade sevré depuis huit jours d'enfouir sa tête dans son bras, de coller l'oreille contre ce bras, et d'attendre. Débâcle, émeutes, usines qui sautent, armées en fuite, déluge, l'oreille écoute toute une apocalypse de la nuit étoilée du corps humain.

*

Le lait, antidote de la morphine. Une amie à moi déteste le lait. Ayant été piquée à la morphine après une opération, elle demanda du lait et l'aima. Le lendemain elle ne pouvait plus le prendre.

*

Le désintoxiqué connaît de brefs sommeils, et des réveils qui ôtent le goût de s'endormir. Il semble que l'organisme sorte d'un hivernage, de cette étrange économie des tortues, des marmottes, des crocodiles. Notre aveuglement, notre obstination à juger tout d'après notre rythme, nous faisaient prendre la lenteur du végétal pour une sérénité ridicule. Rien n'illustre mieux le drame d'une désintoxication que ces films accélérés, qui dénoncent les grimaces, les gestes, les contorsions du règne végétal. Le même progrès dans le domaine auditif nous permettra sans doute d'entendre les cris d'une plante.

*

Progrès. Est-il bon d'accoucher à l'américaine (sommeil et forceps) et ce progrès qui consiste à souffrir moins n'est-il pas, comme la machine, le symptôme d'un univers où l'homme épuisé substitue d'autres forces à la sienne, évite les secousses d'un système nerveux affaibli ?

*

La désintoxication scientifique n'existe pas encore. A peine dans le sang, les alcaloïdes se fixent sur certains tissus. La morphine se fait fantôme, ombre, fée. On imagine le travail des alcaloïdes connus et inconnus de l'opium, leur invasion chinoise. Pour les vaincre, il faut recourir aux méthodes de Molière. On épuise le malade, on le vidange, on pousse la bile et, bon gré mal gré, on retourne aux légendes qui voulaient qu'on chassât les démons par des plantes, des charmes, des purges, des vomitifs.

*

N'attendez pas de moi que je trahisse. Naturellement l'opium reste unique et son euphorie supérieure à celle de la santé. Je lui dois mes heures parfaites. Il est dommage qu'au lieu de perfectionner la désintoxication, la médecine n'essaie pas de rendre l'opium inoffensif.

Mais là, nous retombons sur le problème du progrès. La souffrance est-elle une règle ou un lyrisme ?

Il me semble que, sur une terre si vieille, si ridée, si replâtrée, où tant de compromis sévissent et de conventions risibles, l'opium éliminable adoucirait les mœurs et causerait plus de bien que la fièvre d'agir ne fait de mal.

Ma garde me dit : « Vous êtes le premier malade que je vois écrire le huitième jour. »

Je sais bien que je plante une cuiller dans le tapioca mou des jeunes cellules, que je gêne une marche, mais je me brûle et me brûlerai toujours. Dans deux semaines, malgré ces notes, je ne croirai plus à ce que j'éprouve. Il faut laisser une trace de ce voyage que la mémoire oublie, il faut, lorsque c'est impossible, écrire, dessiner sans répondre aux invites romanesques de la douleur, ne pas profiter de la souffrance comme d'une musique, se faire attacher le porte-plume au pied si c'est nécessaire, aider les médecins que la paresse ne renseigne pas.

Pendant ma névrite, une nuit que je demandais à B... : « Pourquoi, vous qui ne faites pas de clientèle, qui avez du travail par-dessus la tête à la Salpêtrière et qui préparez votre thèse, pourquoi me soignez-vous à domicile nuit et jour ? Je connais les médecins. Vous m'aimez beaucoup, mais vous aimez mieux la médecine. » Il me répondit qu'il tenait enfin un malade *qui parle*, qu'il apprenait plus avec moi, capable de décrire mes symptômes, qu'à la Salpêtrière, où la question : « Où souffrez-vous ? » attirait invariablement cette réponse : « J'sais pas, docteur. »

*

Le retour de la sensualité (premier symptôme net de la désintoxication) s'accompagne d'éternuements, de bâillements, de morves, de larmes. Autre signe : les volailles du poulailler d'en face m'exaspéraient et ces pigeons qui arpentent le zinc, les mains dans le dos, de long en large. Le septième jour le chant du coq m'a plu. J'écris ces notes entre six et sept heures du matin. Avec l'opium, avant onze heures, rien n'existe.

*

Les cliniques reçoivent peu d'opiomanes. Il est rare qu'un opiomane cesse de fumer. Les gardes ne connaissent que les faux fumeurs, les fumeurs élégants, ceux qui combinent l'opium, l'alcool, les drogues, le décor (Opium, alcool, ennemis mortels) ou ceux qui passent de la pipe à la seringue et de la morphine à l'héroïne. De toutes les drogues, la morphine est la plus subtile. Les poumons absorbent sa fumée instantanément. L'effet d'une pipe est immédiat. Je parle pour les vrais fumeurs. Les amateurs ne sentent rien, attendent des rêves et risquent le mal de mer ; car l'efficacité de l'opium résulte d'un pacte. S'il nous enchante, nous ne pourrons plus le quitter.

Moraliser l'opiomane, c'est dire à Tristan : « Tuez Iseut. Vous irez beaucoup mieux après. »

*

L'opium ne supporte pas les adeptes impatients,

les gâcheurs. Il s'en écarte, leur laisse la morphine, l'héroïne, le suicide, la mort.

*

Si vous entendez dire : « X... s'est tué en fumant de l'opium », sachez que c'est impossible, que cette mort cache autre chose.

*

Certains organismes naissent pour devenir la proie des drogues. Ils exigent un correctif sans lequel ils ne peuvent prendre contact avec l'extérieur. Ils flottent. Ils végètent entre chien et loup. Le monde reste fantôme avant qu'une substance lui donne corps.

Il arrive que ces malheureux vivent sans jamais trouver le moindre remède. Il arrive aussi que le remède qu'ils trouvent les tue.

C'est une chance lorsque l'opium les équilibre et procure à ces âmes de liège un costume de scaphandrier. Car le mal apporté par l'opium sera moindre que celui des autres substances et moindre que l'infirmité qu'ils essaient de guérir.

*

Lorsque je parle des jeunes cellules, je ne parle pas des cellules nerveuses, créées une fois pour toutes et qui ne changent plus.

*

Si le réveil du sevrage se produit chez l'homme de façon physiologique, il détermine surtout chez la femme des symptômes moraux. Chez l'homme, la drogue n'endort pas le cœur, elle endort le sexe. Chez la femme, elle éveille le sexe et endort le cœur. Le dix-huitième jour du sevrage, la femme devient tendre, pleurniche. C'est pourquoi, dans les cliniques de désintoxication, les malades ont toutes l'air amoureuses du médecin.

*

Le tabac est presque inoffensif. Après combustion la nicotine disparaît. On a coutume de prendre pour de la nicotine, sel blanc, l'espèce de pâte jaune produite par la modification pyrotechnique des matières combustibles. Il faudrait quatre ou cinq gros cigares quotidiens pour provoquer une crise d'angine de poitrine. La plupart des fameux ravages du tabac sont des phénomènes spasmodiques sans danger réel. On exagère, comme Michelet exagère prestigieusement le rôle du café.

*

La jeune Asie ne fume plus parce que « grand-père fumait ». La jeune Europe fume parce que « grand-père ne fumait pas ». Comme, hélas ! la jeune Asie imite la jeune Europe, c'est par nous que l'opium rejoindra son point de départ.

*

Lettre de H..., désintoxiqué seul avec un courage inouï. Je savais l'effort inutile, la confusion entre se supprimer et se désintoxiquer, et j'attendais des nouvelles pessimistes après les premières lettres optimistes.

1° Trop d'exercice ; 2° Usage de l'alcool (avant-dernières lettres) ; 3° (dernière lettre) La débâcle. « J'ai mal — comment vous dire ? *à mon massif central.* » Reconnaissez-vous le grand sympathique, la terrible chaîne de montagnes nerveuses, l'armature de l'âme ?

Si l'organisme expulse la drogue, c'est son dernier

refuge. L'opium, chassé du bâtiment, se cache dans la chambre des machines.

*

L'automobile masse des organes que nul masseur ne peut atteindre. C'est le seul remède aux troubles du grand sympathique. Le besoin d'opium se supporte en automobile.

Les cliniques de désintoxication devraient d'abord s'adjoindre un masseur médical, un matériel de massage électrique. Dans l'hydrothérapie, ce n'est pas l'eau de la douche qui calme, c'est le jet. Il arrive que les bains énervent ; ils me rendaient fou.

*

Je reste convaincu, malgré mes échecs, que l'opium peut être bon et qu'il ne tient qu'à nous de le rendre aimable. Il faut savoir le manier. Or rien n'égale notre maladresse. Une règle sévère (laxatifs, exercice, sudations, haltes, hygiène du foie, heures qui n'empiètent pas sur le sommeil nocturne) permettrait l'emploi d'un remède compromis par les idiots.

Qu'on ne me dise pas : « L'accoutumance oblige le fumeur à augmenter les doses. » Une des énigmes de l'opium est qu'il permet au fumeur de ne jamais augmenter ses doses.

Le drame de l'opium n'est autre à mes yeux que le drame du confort et de l'inconfort. Le confort tue. L'inconfort crée. Je parle de l'inconfort matériel et spirituel.

Prendre l'opium, sans céder au confort absolu qu'il propose, c'est échapper, dans le domaine spirituel, aux tracas stupides qui n'ont rien à voir avec l'inconfort dans le domaine sensible.

*

Un ermite vit-il dans l'extase ? Son inconfort devient le comble du confort. Il faut qu'il en sorte.

*

Il y a chez l'homme une sorte de fixatif, c'est-à-dire de sentiment absurde et plus fort que la raison, qui lui laisse entendre que ces enfants qui jouent sont une race de nains, au lieu d'être des ôte-toi de là que je m'y mette.

Vivre est une chute horizontale.

Sans ce fixatif une vie parfaitement et continuellement consciente de sa vitesse deviendrait intolérable. Il permet au condamné à mort de dormir. Ce fixatif me manque. C'est, je suppose, une glande malade. La médecine prend cette infirmité pour un excès de conscience, pour un avantage intellectuel.

Tout me prouve chez les autres le fonctionnement de ce fixatif ridicule, aussi indispensable que l'habitude qui nous dissimule chaque jour l'épouvante d'avoir à se lever, à se raser, à s'habiller, à manger. Ne serait-ce que l'*album de photographies*, un des instincts les plus cocasses de faire d'une dégringolade une suite de monuments solennels.

L'opium m'apportait ce fixatif. Sans l'opium, les projets : mariages, voyages, me paraissent aussi fous que si quelqu'un qui tombe par la fenêtre souhaitait se lier avec les occupants des chambres devant lesquelles il passe.

*

Si l'univers n'était pas mû par un mécanisme très simple, il se détraquerait. Tout ce mouvement, qui nous semble une horloge compliquée, doit ressembler au réveille-matin. Ainsi le besoin de procréation nous est-il distribué en grosse, à l'aveuglette. Une erreur ne coûte pas cher à la nature, étant donné le nombre de ses chances. Une erreur qui se raffine, un vice, n'est autre chose qu'un luxe de la nature.

*

SITUATION DE MALLARMÉ

Une jeunesse éprise de merveilleux et de cynisme préfère n'importe quel médium de foire, n'importe quel escroc, à ce type de l'honnête homme, du bourgeois intègre, de l'aristocrate exquis, de l'ouvrier pieux, de l'orfèvre : Mallarmé. Humain, trop humain. J'avoue, pour ma part, l'ombre ayant disparu qui le nimbait, ne plus voir que le modern-style de l'orfèvrerie.

Si Mallarmé taille des pierres, c'est, plutôt que le diamant, une améthyste, une opale, une gemme sur la tiare d'Hérodiade au musée Gustave Moreau.

Rimbaud a volé ses diamants ; mais où ? Voilà l'énigme.

Mallarmé, le savant, nous fatigue. Il mérite cette dédicace suspecte des FLEURS DU MAL, que Gautier ne mérite pas. Rimbaud garde le prestige du recel, du sang ; chez lui le diamant est taillé en vue d'une effraction, à seule fin de couper une vitre, une vitrine.

Les véritables maîtres de la jeunesse entre 1912 et 1930 furent Rimbaud, Ducasse, Nerval, Sade.

Mallarmé influence plutôt le style du journalisme.

Baudelaire se ride, mais conserve une jeunesse étonnante.

Chaque vers de Mallarmé fut, dès sa naissance, une belle ride fine, studieuse, noble, profonde. Cet air plus vieux qu'éternel empêche son œuvre de vieillir *par endroits* et lui donne toute une apparence ridée, analogue à celle des lignes de la main, lignes qui seraient décoratives au lieu d'être prophétiques.

*

Rien de plus triste que le journal de Jules Renard, rien ne démontre mieux l'horreur des Lettres. Il a dû se dire : « Chacun est bas, petit, arriviste. Personne n'ose l'avouer ; je l'avouerai et je serai unique. » Il en résulte chez le lecteur propre, et qui goûtait Renard, une gêne insurmontable.

On quitte ce bréviaire de l'homme de lettres, de l'*arrivisme intègre*, avec la certitude que les grenouilles ont trouvé un roi. (Par grenouilles j'entends ce qui s'attrape avec un bout de ruban rouge.)

Un peu de poudre insecticide anéantirait ces volumes qui nous démangent, qui nous empêchent de relire POIL DE CAROTTE.

*

Je suppose que beaucoup de journalistes ne veulent pas mentir mais qu'ils mentent par ce mécanisme de la poésie et de l'Histoire qui déforment lentement pour obtenir le style. Cette déformation, appliquée de manière immédiate, donne du mensonge. Or je ne sais pas si ce mensonge, grâce auquel les faits doivent leur relief à la longue, est utile sans le recul. Je crois que les faits rapportés fidèlement, à chaud, le lendemain, auraient mille fois plus de force.

*

MERVEILLES

Tarquin le Superbe décapite les pavots (symbole même de l'activité), Jésus foudroie un arbre innocent, Lénine ensemence la terre avec des briques Saint-Just au cou coupé charmant coupeur de cous et ces jeunes filles russes de la révolte des équipages dont les poitrines étaient des bombes. et l'opium interdit, fabuleux.

*

La pureté d'une révolution peut se maintenir quinze jours.

Voilà pourquoi, révolutionnaire dans l'âme, un poète se limite aux volte-face de l'esprit.

Tous les quinze jours je change de spectacle. Pour moi l'opium est une révolte. L'intoxication une révolte. La désintoxication une révolte. Je ne parle pas de mes ouvrages. Chacun guillotine l'autre. Ma seule méthode : je cherche à m'épargner Napoléon.

*

Phèdre ou la fidélité organique. Légalement il faut être fidèle à une personne, humainement à un type. Phèdre est fidèle à un type. Ce n'est pas un exemple d'amour, c'est l'exemple de l'amour. Et puis quel est cet inceste ? Hippolyte n'est pas son fils. Il est civil que Phèdre respecte Thésée et que Thésée aime Hippolyte. Il est humain que Phèdre aime Hippolyte et que Thésée le déteste.

*

Nous ne sommes plus, hélas ! un peuple d'agriculteurs et de pasteurs. Qu'il faille un autre système de thérapeutique pour la défense du système nerveux surmené ne saurait être mis en doute. Pour cela il s'impose de découvrir un moyen de rendre inoffensives les substances bienfaisantes que le corps élimine si mal ou de blinder la cellule nerveuse.

Dites cette vérité de La Palice à un docteur, il hausse les épaules. Il parle de littérature, d'utopie, de dada du toxicomane.

Pourtant j'affirme qu'un jour on emploiera sans

danger les substances qui nous apaisent, qu'on évitera l'habitude, qu'on rira du loup-garou de la drogue, et que l'opium apprivoisé adoucira le mal des villes où les arbres meurent debout.

*

L'ennui mortel du fumeur guéri. Tout ce qu'on fait dans la vie, même l'amour, on le fait dans le train express qui roule vers la mort. Fumer l'opium, c'est quitter le train en marche ; c'est s'occuper d'autre chose que de la vie, de la mort.

*

Si un fumeur abîmé par la drogue s'interroge sincèrement, il trouvera toujours une faute qu'il paye et qui tourne l'opium contre lui.

Patience du pavot. Qui a fumé fumera. L'opium sait attendre.

*

L'opium châtie les buts.

*

Je me souviens qu'à dix-huit, dix-neuf ans (LE CAP), je m'angoissais sur des images. Je me disais, par exemple : « Je vais mourir et je n'aurai pas exprimé les cris d'hirondelles » ; ou : « Je mourrai sans avoir expliqué la plantation des villes vides, la nuit. » La Seine, les réclames, le bitume d'avril, les bateaux-mouches, je ne prenais aucun plaisir à toutes ces merveilles. J'avais seulement l'angoisse de vivre trop peu pour les dire.

Une fois ces choses dites, j'ai trouvé une grande délivrance. Je regardais avec désintéressement. Après la guerre, les choses que je souhaitais dire étaient d'un ordre de plus en plus rare, limitées à peu. On ne pouvait me les prendre, me devancer. Je respirais comme un coureur qui se retourne, qui se couche, qui se calme, qui ne voit même plus la silhouette des autres à l'horizon.

*

Ce soir, j'ai bien envie de relire les CAHIERS DE M. L. BRIGGE, mais je ne veux pas demander de livres, je veux lire ce qui tombe dans cette chambre.

S'il se pouvait que les CAHIERS se trouvassent parmi les livres laissés par les malades aux infirmières ! Non. M... ne possède que Paul Féval et Féval fils. J'ai déjà épuisé les familles Artagnan et Lagardère. Rue d'Anjou, on m'a pris l'exemplaire de chez Emile-Paul.

Je relirais la mort de Christoph Detlev Brigge ou la mort du Téméraire ; je reverrais la pièce d'angle, en 1912, chez Rodin, hôtel Biron, la lampe du secrétaire allemand Mr. Rilke. J'habitais, moi, l'ancienne bâtisse des sœurs du Sacré-Cœur, aujourd'hui détruite. Mes portes-fenêtres ouvraient sur sept hectares de parc abandonné qui longent le boulevard des Invalides. Je ne savais rien de Mr. Rilke. Je ne savais rien de rien. J'étais terriblement éveillé, ambitieux, absurde. Il m'a fallu des sommeils pour comprendre, pour vivre, pour regretter. Bien plus tard, en 1916, Cendrars me découvrait Rilke et, bien plus tard encore, 1928, Mme K... me communiquait la bouleversante dépêche : *Dites à Jean Cocteau que je l'aime lui le seul à qui s'ouvre le mythe dont il revient hâlé comme du bord de la mer.*

A cause d'ORPHÉE, cela, de l'homme qui écrivait : *Nous avions une conception différente du merveilleux. Nous trouvions que lorsque tout se passait naturellement, les choses étaient encore plus étranges.*

Et dire, après ces récompenses très hautes, qu'on s'agace parfois d'un article !

Faut-il qu'on soit vulnérable, une fois réveillé de ces sommeils dont la mort est l'apothéose, de ces sommeils entre lesquels on devrait toujours se tenir tranquille et les attendre au lieu de vouloir faire l'important, et se mêler à la conversation des grandes personnes, et dire son mot, et le dire de telle sorte qu'on payerait cher ensuite pour s'être tu !

Je n'ai pas sur la conscience beaucoup d'œuvres écrites éveillé, sauf mes livres qui précèdent le POTOMAK, où j'ai commencé à dormir : mais j'en ai. Que ne donnerais-je pour qu'elles n'existent pas !

*

J'observais, en jouant Heurtebise dans ORPHÉE, que le public le plus attentif échange des remarques ; donc qu'il saute des bouts de dialogue indispensables.

Le théâtre exige-t-il qu'on bâcle ? Les remplissages, les transitions lentes sont-ils inévitables ? Ne peut-on obliger le public à se taire ?

Hugo condamne avec Talma, le beau vers au théâtre. Il est, en effet, impossible que les rimes *âme, femme*, se retrouvent tous les quinze vers du théâtre de Hugo sans une volonté de bâclage. C'est par là que Victor Hugo, très soigneux par ailleurs, rejoint les beautés d'un FANTOMAS, NOTRE-DAME DE PARIS, L'HOMME QUI RIT, mélodrames romancés. Hugo méprise le théâtre. Il y trouve un véhicule. Règle ou négligence ? Règle ; car les drames de Hugo font encore salle comble, comme ceux de Wagner.

On se demande si le public ne pourrait pas, à la longue, devenir attentif. En le préparant, en l'hypnotisant, en lui jetant des rimes comme des os pour lui tenir les narines frémissantes, on l'a perverti. Non que je déconseille la rime en soi, mais ce bruit astucieux dont le rôle consiste à empêcher le public de s'assoupir.

*

Il m'arrivait, très intoxiqué, de dormir d'interminables sommeils d'une demi-seconde. Un jour que j'allais voir Picasso, rue La Boétie, je crus, dans l'ascenseur, que je grandissais côte à côte avec je ne sais quoi de terrible et qui serait éternel. Une voix me criait : « Mon nom se trouve sur la plaque ! » Une secousse me réveilla et je lus sur la plaque de cuivre des manettes : ASCENSEUR HEURTEBISE. Je me rappelle que chez Picasso nous parlâmes de miracles ; Picasso dit que tout était miracle et que c'était un miracle de ne pas fondre dans son bain comme un morceau de sucre. Peu après, l'ange Heurtebise me hanta et je commençai le poème. A ma prochaine visite, je regardai la plaque. Elle portait le nom OTIS-PIFRE ; l'ascenseur avait changé de marque.

Je terminai l'ANGE HEURTEBISE, poème à la fois inspiré et formel comme le jeu d'échecs, la veille de ma désintoxication rue de Chateaubriand. (La clinique des Thermes est détruite ; on donna le premier coup de pioche le jour de ma sortie.) Ensuite j'appelai Heurtebise l'ange d'ORPHÉE. Je cite la source du nom à cause des nombreuses coïncidences qu'il motive encore.

COÏNCIDENCES AUTOUR D'UN NOM ET D'UNE PIÈCE

Marcel Herrand ayant voulu répéter la pièce la veille du spectacle, nous nous réunîmes chez moi, rue d'Anjou. Nous répétions dans le vestibule et Herrand venait de dire : « *Avec ces gants vous traverserez les glaces comme de l'eau*, lorsqu'un fracas épouvantable se fit entendre du fond de l'appartement. D'une haute glace du cabinet de toilette, il ne restait que le cadre. La glace, pulvérisée, jonchait le sol.

Glenway Wescott et Monroe Wheeler étant venus à Paris pour la première d'ORPHÉE, furent arrêtés sur le chemin du théâtre, boulevard Raspail, par un choc, une vitre brisée et un cheval blanc qui entrait sa tête dans la voiture.

Un an après, je déjeunais chez eux à Villefranche-sur-Mer, où ils partageaient une maison très isolée, sur la colline. Ils traduisaient ORPHÉE : et me dirent combien un vitrier serait incompréhensible en Amérique. Je leur opposai le KID où Chaplin joue à New York un rôle de vitrier : « C'est rare à New York et rare à Paris, leur dis-je, on n'en rencontre presque jamais. » Ils me demandaient de leur décrire un vitrier et ils me reconduisaient vers la grille en traversant le jardin, lorsque nous entendîmes et vîmes un vitrier qui, contre toute attente et vraisemblance, passa sur la route déserte et disparut.

On jouait ORPHÉE en espagnol, au Mexique. Un tremblement de terre interrompit la scène des bacchantes, démolit le théâtre et blessa quelques personnes. La salle reconstruite, on redonne ORPHÉE. Soudain un régisseur annonce que le spectacle ne peut continuer. L'acteur jouant le rôle d'ORPHÉE, avant de ressortir du miroir, était tombé mort dans les coulisses.

Le vicomte et la vicomtesse Charles de Noailles avaient caché les œufs de Pâques de leurs enfants dans le sable d'une salle de gymnastique de leur propriété du Midi. Ils demandèrent à un jeune maçon qui travaillait au jardin, et qu'ils surnommaient Heurtebise à cause de sa silhouette blanche, d'accrocher des girandoles de papier au-dessus du sable. Le jeune homme monte sur le vitrage, glisse, le traverse et tombe sans se faire de mal, à plat ventre dans le sable, le dos couvert de vitres. Interrogé, ce jeune homme déclare s'appeler Ange.

La princesse E. de Polignac achète une maison de

campagne et demande son nom au jeune aide-jardinier. Réponse : Raphaël Heurtebise *.

Il est normal que, croyant et crédule, je me tienne continuellement sur mes gardes et n'accorde pas trop vite à quelques rencontres une signification d'ordre surnaturel.

Ne jamais s'exciter au mystère pour que le mystère vienne tout seul et ne trouve pas la piste brouillée par notre impatience d'entrer en contact avec lui.

Ne pas oublier que les prises de contact officielles avec l'inconnu finissent toujours par une affaire commerciale, comme Lourdes, ou par une descente de police, comme Gilles de Rais.

Les tables tournent. Les dormeurs parlent. C'est un fait. Il est écœurant de le nier.

Mais que nous trichions exprès ou sans le savoir, par l'entremise d'une force que notre impatience dégage, revient au même en ce qui concerne le contact avec l'inconnu.

Plus on en est avide, plus il est indispensable de reculer coûte que coûte les bornes du merveilleux.

On parle beaucoup de grandeur, de mystère. Il est rare qu'on en fasse preuve. Une jolie leçon de grandeur et de mystère : le spectacle BÉNÉVOL-ROBERTSON-INAUDI-Madame LUCILE à L'Ambigu. Ces artistes naïfs travaillent honnêtement, directement, face à face avec l'inconnu. Les yeux de Madame Lucile, la superbe de Bénévol, l'autorité, le charme d'Inaudi. Inaudi : type Berthelot, Bergson. Aucune vulgarité. La salle ignoble criait les chiffres 606, 69. Il ne marque jamais le coup. Sa grâce, lorsqu'il écrase un comptable prétentieux, une dame qui se trompe de date. Ses petites mains qui tricotent. Cela finit par être comme la beauté même. Sous cette avalanche

* Le merveilleux provenant d'un ordre qui se détraque légèrement, il est compréhensible qu'il nous apparaisse toujours sur des points sans gravité. Cela permet de le confondre avec de petites coïncidences.

de chiffres auxquels je ne comprends rien, j'avais les larmes aux yeux, mon cœur battait à se rompre.

L'armoire des frères Davenport, la malle de Bénévol, autant de chefs-d'œuvre qui expliquent l'étude de Poe sur le joueur d'échecs. Mais quelle étude écrire ? Un miracle cesse de l'être par le fait qu'il se produit. Là, le miracle subsiste. Le truc ne triche pas. Et lorsque le truc arrive à cette simplicité considérable de n'en plus être un, je veux dire lorsque Bénévol endort, lorsque Madame Lucile devine, ce spectacle, où rien n'autorise un dilettante des cirques,— des music-halls, des bordels, des foires, à trouver son compte, ce spectacle sans pittoresque, ces artistes sans art, ces géants exquis me remémoraient une loge du *Ballet Russe* où nous aperçûmes, un soir, ensemble : Picasso, Matisse, Derain, Braque, et ce cri sublime de femme (rapporté par Barrès) à l'enterrement de Verlaine : « Verlaine ! Tous les amis sont là. »

*

(1930.) Ces petites chambres d'hôtel où je campe depuis tant d'années, chambres pour faire l'amour où je fais l'amitié sans relâche, occupation mille fois plus épuisante que de faire l'amour.

En quittant Saint-Cloud je me répétais : C'est avril. Je suis fort. J'ai un livre auquel je ne m'attendais pas. N'importe quelle chambre de n'importe quel hôtel sera bonne. Or ma chambre de pendu, rue Bonaparte, devint chambre à se pendre. J'avais oublié que l'opium transfigure le monde et que, sans l'opium, une chambre sinistre reste une chambre sinistre.

*

Un des prodiges de l'opium est de changer instantanément une chambre inconnue en une chambre si familière, si pleine de souvenirs, qu'on pense l'avoir

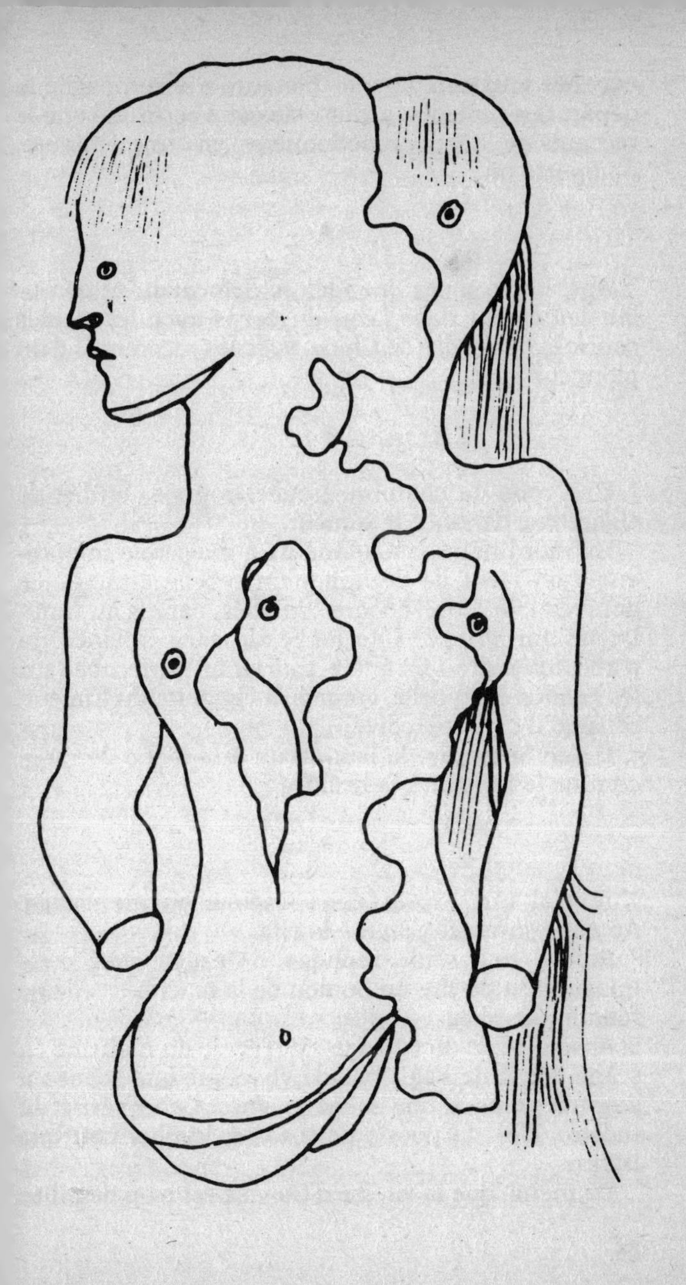

occupée toujours. Aucune blessure n'accompagne le départ des fumeurs, à cause de cette certitude que le mécanisme léger fonctionnera en une minute, n'importe où.

*

Après cinq pipes une idée se déformait, se déroulait lentement dans l'eau du corps avec les nobles caprices de l'encre de Chine, avec les raccourcis d'un plongeur noir.

*

Une robe de chambre trouée, roussie, brûlée de cigarettes, dénonce le fumeur.

Extraordinaire instantané d'un magazine impudique : on vient de décapiter un rebelle chinois. Le bourreau, le sabre, encore brouillés, pareils au ventilateur qui stoppe. Une gerbe de sang s'élance du tronc, toute droite. La tête, souriante, est tombée sur les genoux du rebelle, comme la cigarette du fumeur, sans qu'il s'en aperçoive.

Il s'en apercevra le lendemain à la tache de sang, comme le fumeur à la brûlure.

*

Je n'ai mis exprès dans ORPHÉE qu'une image. Après le spectacle, on me la cite.

Perdre une seule réplique d'ORPHÉE sauf cette image, c'est perdre un boulon de la machine ; elle ne fonctionne plus.

Après l'école du bâclage vint l'école du réalisme en scène. Or il ne s'agit pas de vivre sur une scène ; il s'agit de rendre une scène vivante. Cette vérité du théâtre, c'est la poésie de théâtre, le plus vrai que le vrai.

De même que la vitesse d'ORPHÉE est trop détaillée

pour un auditeur rompu aux pièces qu'on brossait comme les vieux décors, de même pour un esprit habitué aux pièces construites comme une vraie maison, la maison d'Orphée a l'air d'une maison de fous.

*

« Pourquoi votre nom et votre adresse dans la bouche de la tête d'ORPHÉE ? »

C'est le portrait du donateur au bas de la toile ; le nom de l'écrasé qu'on interroge chez le pharmacien.

*

On peut trouver la preuve de l'optique singulière du théâtre même dans le théâtre dit « réaliste ». L. Guitry me racontait que, dans une pièce, dînant au Ritz avec un autre personnage, il faisait venir le dîner de chez Larue. Malgré tous ses efforts, la scène demeurait plate, lorsqu'il s'avisa que Larue envoyait le dîner et le maître d'hôtel. Il remplaça ce maître d'hôtel par un acteur et obtint aussitôt le relief.

Chorégraphes, montez donc votre danse sur une musique célèbre (CARMEN, TRISTAN *et* YSEULT, je ne sais quoi) et ôtez-la ensuite.

Demandez au peintre d'être un metteur en scène.

Le bain des grâces de MERCURE est une mise en scène. Bâtissez de la pantomime, du tableau vivant, du geste en silence. Cessez d'être frivoles et de conjuguer les arts.

*

Nous sommes à une telle époque d'individualisme qu'on ne parle plus jamais de disciples ; on parle de voleurs.

*

D'un individualisme de plus en plus vif ne résultent que solitudes. Maintenant on ne se déteste plus entre artistes d'un autre bord, mais entre artistes du même bord, entre hommes qui partagent la même solitude, la même cellule, qui exploitent le même carré de fouilles. C'est ce qui fait que notre pire ennemi sera seul capable de nous comprendre à fond et *vice versa*.

*

Choisir ses pièges

Le rythme de notre vie se déroule en périodes, toutes pareilles, sauf qu'elles se présentent d'une manière qui les rend méconnaissables. L'événement piège ou la personne piège sont d'autant plus dangereux qu'ils relèvent, pour leur propre compte, de la même loi et portent sincèrement le masque.

A la longue, la souffrance nous donne l'éveil et signale nombre de pièges. Mais, à moins d'un refus de vivre insipide, il faut accepter certains pièges, malgré la certitude qu'ils comportent des suites funestes. La sagesse est d'être fou lorsque les circonstances en valent la peine.

Goethe est un des premiers qui parla d'une vérité de l'art obtenue par le contraire de la réalité (à propos d'une gravure de Rembrandt). Aujourd'hui toute recherche est admise en tant que recherche. On imagine mal la solitude d'Uccello. « Ce pauvre Paolo, dit Vasari, peu versé dans la science de l'équitation, aurait fait un chef-d'œuvre s'il n'avait représenté son cheval levant les deux pattes du même côté, ce qui est impossible. » Or, toute la noblesse de l'œuvre dont parle Vasari vient de ce contre-amble, de cet acte de présence de l'artiste par lequel il s'affirme et s'écrie au travers des siècles : *Ce cheval est un prétexte. Il m'empêche de mourir. Je suis là !*

*

INTENSITÉ D'UNE ATMOSPHÈRE

Atmosphère type de théâtre : Cour d'auberge. Chœur des marmitons. Le coche arrive. Quelques personnages principaux de la pièce en descendent. On devine que les acteurs et actrices parlent entre eux d'autre chose que de la pièce. Le soir tombe. L'orchestre reprend en sourdine le chœur des marmitons.

Je veux retrouver cette atmosphère. Si je la retrouve, il n'y aura plus ni cour d'auberge, ni coche, ni soir qui tombe, ni chœur des marmitons. Par exemple, c'est la nécessité où les acteurs du Châtelet se trouvent de parler fort qui m'a fait découvrir le style des phonographes dans LES MARIÉS DE LA TOUR EIFFEL.

Texte des MARIÉS. Je voulais que les grosses phrases du texte fussent comme si l'on voyait côte à côte des cartes postales de la *Vénus de Milo*, de l'*Angélus* de Millet, de la *Joconde*.

A part mes souvenirs intimes au théâtre, il me reste trois grands souvenirs de décors. Le naufrage et la halte du train du TOUR DU MONDE EN 80 JOURS, LE DIT DES JEUX DU MONDE, décoré par le Fauconnet (Vieux-Colombier), COULEUR DU TEMPS, décoré par Vlaminck (Théâtre Renée Maubel).

*

La vie se passe avec trop de perfectionnement, de confort. Combien sera dommage la suppression du chuchotement énorme, chaud, riche, des endroits où le film parlant ne parle plus, la disparition du contraste entre la platitude visuelle et le relief auditif !

Lorsque tout sera au point : relief, couleur, bruit, la jeunesse saccagera ce théâtre postiche et emploiera savamment le charme des anciennes fautes, vaincues par le luxe, le commerce, l'inévitable *confort* scientifique. (Les petits hôtels perdus aussitôt que le propriétaire gagne de quoi les rendre pareils à son rêve, dignes d'un succès dont il s'étonne, incapable d'en comprendre les motifs.)

J'ai lu le dossier Victor Hugo à la Comédie-Française. Sur une petite feuille il décide les places de ses jeunes amis, note les vers qu'il faut applaudir, arrange sa claque et sa contre-claque.

Et nous qu'on accusait d'être organisateurs ! Jamais nous n'avons compté que sur les amis inconnus qu'on nous reprochait tant et qui nous vinrent en aide par surprise. Ces jeunes amis de Hugo devaient être la fine fleur de l'avant-garde. Sauf Pétrus Borel, je ne connais pas un nom. Théophile Gautier ne fréquentait pas encore son idole. Il était à son poste, en service commandé, avec sa barbe, ses narines, son gilet grotesques.

*

On voudrait un peu faire fumer Hugo. Rien n'a manqué à Victor Hugo sauf d'être malade. Je me trompe. Sa maladie faisait sa gloire. Il était fou. D'abord mégalomane, ensuite devenu fou. (Ses dessins, ses meubles, ses amours, ses méthodes de travail en témoignent.)

*

Le principe de nouveauté d'une œuvre est toujours néfaste. On ne voit l'œuvre que lorsqu'il se banalise et disparaît. Son époque très grosse obligeait Victor Hugo à rompre superficiellement avec les formes admises. Le principe de nouveauté reste au premier plan. Ce relief est devenu platitude : son théâtre survit à cause d'un bon estomac.

Imaginez un homme, à sa table, écrivant CROMWELL, en marge de son travail. Péguy, hugolâtre, m'énumérait ses œuvres. « Il doit en rester encore, répétait-il. Voyons, voyons ! » et il récapitule, il cherche. Il oubliait LES MISÉRABLES.

*

Rien de plus anormal qu'un poète qui se rapproche de l'homme normal : Hugo, Goethe... C'est le fou libre. Le fou qui n'a pas l'air fou. Le fou qui n'est jamais suspect. Quand j'ai écrit que Victor Hugo était un fou qui se croyait Victor Hugo, je ne plaisantais pas. Le péché-type contre l'Esprit n'est-il pas d'être spirituel ? Ce n'était pas une boutade, c'était une synthèse ; le résumé d'une étude que je refuse d'écrire et que d'autres écriront un jour. Le rôle du poète n'est pas de prouver, mais d'affirmer sans fournir aucune des preuves encombrantes qu'il possède et d'où résulte son affirmation. Par la suite, la lente découverte de ces preuves donne au poète sa place de devin. A Guernesey, la folie de Hugo se porta sur les meubles et sur la photographie. On le photographiait de vingt à trente fois par jour. Hugo sans barbe ! Quel aveu ! Il y a toujours une période où l'homme barbu se rase. Cette période ne dure pas. Il remet sa barbe précipitamment.

*

Hugo (procès du ROI S'AMUSE) : *Aujourd'hui la censure, demain l'exil* ! Cette apostrophe donne à réfléchir. Cet exil dut être préparé de longue main.

*

On n'accepte plus les monstres sacrés de type Goethe, Victor Hugo. A table on n'écouterait plus Oscar Wilde ; il excéderait.

La vitesse empêche le stationnement autour d'une figure. Barrès, hypnotisé par cette race d'hommes, obtint encore quelque chose de ce genre. C'est sans doute le dernier exemplaire d'un type disparu. Chesterton parle très bien de ce phénomène à propos de Dickens.

*

Les fameuses déformations dues à l'opium. Lenteurs, paresses, rêves inactifs. OPÉRA est l'œuvre d'un opiomane. « Je ne vous le fais pas dire », répondent les imbéciles. Or je n'ai jamais obtenu de vitesses pareilles. Des vitesses qui arrivent à l'immobilité. Mon ventilateur ne fait pas de vent et ne brouille pas l'image placée derrière ; mais je déconseille d'y mettre le doigt.

*

Reproche des calembours d'OPÉRA. C'est confondre calembours et coïncidences. OPÉRA est un appareil distributeur d'oracles, un buste qui parle, un livre oraculeux. Je fouille. Ma bêche rencontre une forme dure. Je la découvre et la nettoie. *L'ami Zamore de Madame du Barry* est une fatalité ; ce n'est pas un jeu de mots.

*

On parle toujours de l'esclavage de l'opium. Non seulement la régularité d'heures qu'il impose est une discipline, mais encore une libération. Libération des visites, des cercles de personnes assises. J'ajoute que l'opium est à l'opposé de la seringue Pravaz. Il rassure. Il rassure par son luxe, par ses rites, par l'élégance anti-médicale des lampes, fourneaux, pipes, par la mise au point séculaire de cet empoisonnement exquis.

*

Même sans aucun esprit de prosélytisme, il est impossible qu'une personne qui ne fume pas, vive auprès d'une personne qui fume. Chacune habiterait un autre monde. Une des seules protections contre la rechute sera donc la responsabilité.

Depuis deux mois je dégorge de la bile. Race jaune : la bile fixée dans le sang.

*

L'opium est une décision à prendre. Notre seul tort est de vouloir fumer et partager les privilèges de ceux qui ne fument pas. Il est rare qu'un fumeur quitte l'opium. L'opium le quitte en ruinant tout. C'est une substance qui échappe à l'analyse, vivante, capricieuse, capable de se retourner brusquement contre le fumeur. Elle est un baromètre d'une sensibilité maladive. Par certains temps humides les pipes coulent. Le fumeur arrive-t-il au bord de la mer, la drogue gonfle, refuse de cuire. L'approche de la neige, d'un orage, du mistral, la rendent inefficace. Certaines présences bavardes lui ôtent toute sa vertu.

Bref, il n'existe pas de maîtresse plus exigeante que la drogue qui pousse la jalousie jusqu'à émasculer le fumeur.

En préparant l'opium brut on combine les alcaloïdes au hasard. Il est impossible de prévoir les résultats. L'adjonction de dross augmente les chances de réussite mais risque de détruire un chef-d'œuvre. C'est un coup de gong qui brouille la mélodie. Je déconseille la goutte de porto, de fine champagne. Je conseille un litre de vieux vin rouge dans l'eau où trempe la boule brute et ensuite d'éviter l'ébullition, de passer sept fois, de rester huit jours à l'ouvrage.

*

Avec une bonne hygiène, un fumeur qui aspirerait douze pipes par jour toute sa vie, serait non seulement prémuni contre les grippes, rhumes, angines, mais encore moins en péril qu'un homme qui boirait un verre de cognac ou qui fumerait quatre cigares. Je connais des personnes qui fument une, trois, sept à douze pipes depuis quarante ans.

Certains vous disent : « Les délicats jettent le dross. » D'autres : « Les délicats font fumer leurs boys et ne fument que le dross. » Si on interroge un boy sur le danger de la drogue : « Bonne drogue engraisse, répond-il. Dross malade. »

Le vice de l'opium, c'est de fumer le dross.

*

De même qu'il ne faut pas confondre une désintoxication et sa convalescence de typhoïde et une suppression avec substituts d'exercices physiques, marche, sports d'hiver, cocaïne, alcool, de même il ne faut pas prendre l'intoxication pour l'habitude. Certaines personnes ne fument que le dimanche. Le dimanche elles ne peuvent se passer de drogue ; c'est *l'habitude*. L'intoxication ruine le foie, affecte les cellules nerveuses, constipe, parchemine les tempes, contracte l'iris de l'œil. L'habitude est un rythme, une faim singulière qui peut déranger le fumeur mais ne lui cause aucun mal.

Les symptômes du besoin sont d'un ordre si étrange qu'on ne saurait les décrire. Seules les gardes de clinique parviennent à s'en former une représentation. (Ils ne diffèrent pas des symptômes graves.)

Imaginez que la terre tourne un peu moins vite, que la lune se rapproche un peu.

*

La roue est la roue. L'opium est l'opium. Tout autre luxe est de l'ingéniosité ; comme si, ne connaissant pas la roue, on avait fait les premières voitures, d'après le cheval, avec des pattes mécaniques.

*

Profitons de l'insomnie pour tenter l'impossible : décrire le besoin.

Byron disait : « L'amour ne résiste pas au mal de mer. » Comme l'amour, comme le mal de mer, le besoin pénètre partout. La résistance est inutile. D'abord un malaise. Ensuite les choses s'aggravent. Imaginez un silence qui corresponde aux plaintes de milliers d'enfants dont les nourrices ne rentrent pas pour donner le sein. L'inquiétude amoureuse traduite dans le sensible. Une absence qui règne, un despotisme négatif.

Les phénomènes se précisent. Moires électriques, champagne des veines, siphons glacés, crampes, sueur à la racine des cheveux, colle de bouche, morve, larmes. N'insistez pas. Votre courage est en pure perte Si vous tardez trop, vous ne pourrez plus prendre votre matériel et rouler votre pipe. Fumez. *Le corps n'attendait pas autre chose que des nouvelles*. Une pipe suffit.

*

Il est facile de dire : « L'opium arrête la vie, insensibilise. Le bien-être vient d'une espèce de mort. »

Sans opium j'ai froid, je m'enrhume, je n'ai pas faim. J'ai de l'impatience pour imposer ce que j'invente. Fumeur, j'ai chaud, j'ignore les rhumes, j'ai faim, mon impatience disparaît. Docteurs, méditez cette énigme.

Les savants ne sont pas curieux, dit France. Il a raison.

*

L'opium, c'est la femme fatale, les pagodes, les lanternes ! Je ne suis pas de force à vous détromper. Puisque la science ne sait pas désunir les principes curatifs et destructeurs de l'opium, il faut bien que je m'incline. Jamais je n'ai regretté plus profondément de n'avoir pas été poète et médecin, comme Apollon.

*

Nous portons tous en nous quelque chose de roulé comme ces fleurs japonaises en bois qui se déroulent dans l'eau.

L'opium joue le rôle de l'eau. Aucun de nous ne porte le même modèle de fleur. Il se peut qu'une personne qui ne fume pas ne sache jamais le genre de fleur que l'opium aurait déroulée en elle.

*

Ne pas prendre l'opium au tragique.

Vers 1909 des artistes fumaient qui n'en parlaient pas et qui ne fument plus. Beaucoup de jeunes ménages fument sans que personne s'en doute ; les coloniaux fument contre la fièvre et cessent de fumer lorsque les circonstances les y obligent. Ils ressentent alors les malaises d'une grosse grippe. L'opium épargne tous ces adeptes parce qu'ils ne le prenaient ni ne le prennent au tragique.

L'opium devient tragique dans la mesure où il affecte les centres nerveux qui commandent l'âme.

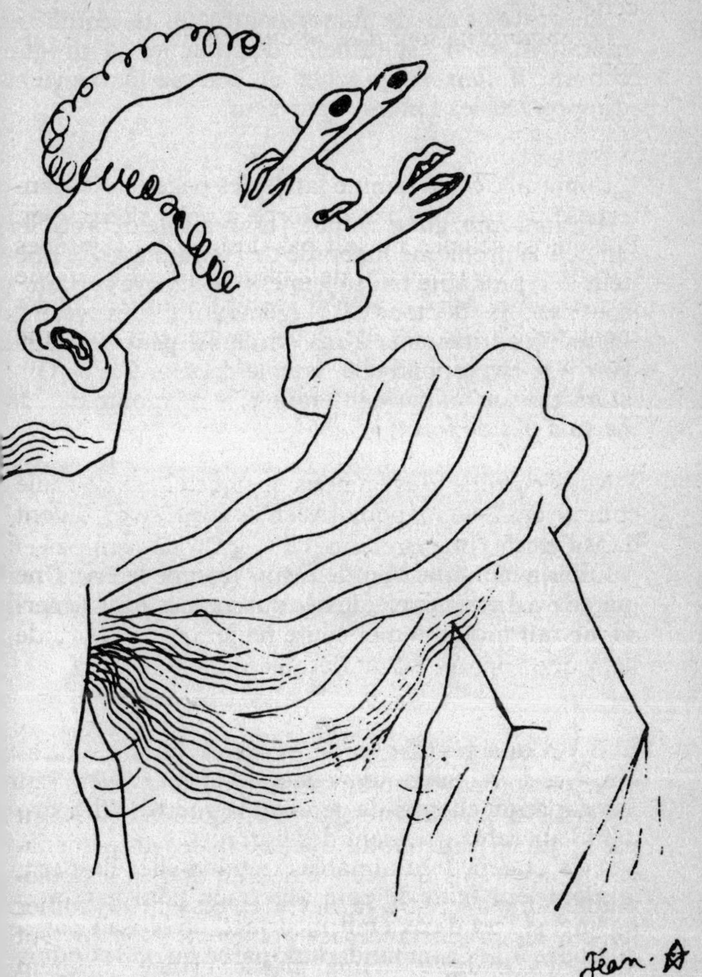
Jean
St Cloud 1928

Sinon c'est un antidote, un plaisir, une sieste extrême.

Le grave, c'est de fumer contre un déséquilibre moral. Alors il est difficile d'approcher la drogue comme il faut l'approcher et comme il convient d'approcher les fauves : sans peur.

*

Un jour que, guéri en fait, j'essayais de débrouiller un peu le problème inabordé de l'opium avec le docteur Z..., plus apte par sa jeunesse à vaincre certaines routines, le docteur X... (génération des grands incrédules) demande à ma garde s'il peut venir me voir. « Il est, répond-elle, avec le docteur Z... — Oh ! alors, puisqu'on parle littérature, je ne monte pas. Je ne suis pas de force. »

*

Ma garde (une Bretonne) dit : « On ne peut pas en vouloir à la Sainte Vierge d'avoir trompé le Bon Dieu parce qu'il était parti faire la guerre aux Juifs et qu'il la laissait tout le temps toute seule. »

*

Il y a une gentille garde, veuve de guerre, qui est du Nord. A table ses collègues l'interrogent sur l'occupation allemande pendant la guerre. Elles sirotent leur café, attendent des horreurs.

« Ils étaient très aimables, répond-elle, ils partageaient leur bout de pain avec mon petit garçon et même, si l'un d'eux était incorrect, on n'osait pas se plaindre à la Commandantur, parce qu'on les punissait trop fort. Pour avoir taquiné une femme on les attachait à un arbre pendant deux jours. »

Cette réponse consterne la table. La veuve est suspecte. On l'appelle la Boche. Elle pleure et peu à peu elle change ses souvenirs, elle glisse une petite horreur. Elle veut vivre.

*

La comtesse de H..., Allemande d'origine suédoise, occupe la chambre du coin. Je vois ses fenêtres. Les gardes ont demandé à la directrice qu'on ôte la veuve du Nord de chez la comtesse. « Elle est de mèche avec les Boches. Elles pourraient bien comploter ! »

*

Ce matin, jour des funérailles de Foch, la comtesse ouvre sa fenêtre, comme d'habitude. « Elle nous nargue », dit le personnel.

*

L'aile sud de l'ancien hôtel Pozzo di Borgo a été construite en 1914 par une entreprise sanitaire allemande. Hélas ! les murs sont en papier mâché. Qu'on enfonce un clou, la chambre s'écroule. Ma garde me montre les trois terrasses des cures de soleil : « Voyez les satans, dit-elle, ils ont fait des plates-formes pour bombarder Paris. »

*

Pendant que je dessine, E..., une remplaçante, écrit à son frère : « Je profite d'un instant de distraction de mon malade pour t'écrire... » Elle prononce *quiès* (les boules *quiès*) *« cuisses »*. Mademoiselle d'A... n'aurait jamais pu s'endormir sans mettre ses *cuisses* dans ses oreilles.

N'oubliez pas qu'on ne laisse monter personne, qu'on enferme un nerveux, un demi-fou qu'on devrait distraire, seul avec sa garde pendant des mois. Le médecin-chef entre une minute. Si le malade va bien, il prolonge. Si le malade va mal, il se sauve. Le psychiatre attaché à l'établissement est jeune, agréable, vif.

Il ne peut rien que plaire. S'il plaît, une longue visite vexe le médecin-chef qui déplaît. Il reste dix minutes.

On place n'importe quelle garde chez n'importe quel malade. Or le choix d'une garde est capital pour les nerveux. Sourires : « Ah ! s'il fallait s'occuper aussi de ces détails... » Et l'on traite le nerveux comme un gâteux. On lui cache le contenu des remèdes, on évite les rapports humains. Le docteur doit être inhumain. Un docteur qui parle, qui entre en contact avec le malade n'est jamais pris au sérieux. « Oui, c'est un beau parleur, mais, si j'étais très mal, je ferais chercher quelqu'un d'autre. » La psychologie est l'ennemie de la médecine. Plutôt que d'aborder la question de l'opium avec le malade qu'elle obsède, on l'évite. Un vrai docteur ne s'attarde pas dans la chambre. Il cache ses tours, faute de tours. Cette méthode a perverti les malades. Le docteur qui les écoute, le docteur humain leur est suspect. Le docteur M... a tué toute ma famille et soigné le nez cassé de mon frère pour un érysipèle. Sa redingote, son crâne, rassuraient.

*

L'opium se lègue à travers les siècles comme la coudée royale. Hélène connaissait des recettes aussi perdues que les mystères de la grande pyramide. Au fur et à mesure les unes et les autres se retrouvent. Ronsard essaye le pavot sous toutes ses formes et nous le raconte dans un poème consternant. Il connaissait une Hélène ; il ne savait plus accommoder le pavot.

*

Je ne suis pas un désintoxiqué fier de son effort.

J'ai honte d'être chassé de ce monde auprès duquel la santé ressemble aux films ignobles où des ministres inaugurent une statue.

*

Il est dur de s'entendre réformer par l'opium après plusieurs échecs ; il est dur de savoir que ce tapis volant existe et qu'on n'y volera plus ; il était doux de l'acheter, comme dans la Bagdad du Kalife, chez les Chinois d'une rue sordide, pavoisée de linges ; doux de rentrer vite l'essayer à son hôtel, dans la chambre entre colonnes où habitèrent Sand et Chopin, de le dérouler, de s'étendre dessus, d'ouvrir la fenêtre sur le port, de partir. Sans doute trop doux.

*

Le fumeur fait corps avec les objets qui l'environnent. Sa cigarette, un doigt tombent de sa main.

*

Le fumeur est entouré de pentes. Impossible de maintenir l'esprit en haut. Il est onze heures du soir. On fume depuis cinq minutes ; on consulte sa montre : il est cinq heures du matin.

*

Mille fois le fumeur doit se ramener à son point de départ comme l'œuf du tir, au bout de la gouttière. Le moindre bruit intempestif fait sauter l'œuf du jet d'eau.

*

La substance grise et la substance brune font les plus beaux accords.

L'optimisme du fumeur n'est pas un optimisme d'ivrogne. Il imite l'optimisme de la santé.

*

Picasso me disait : *L'odeur de l'opium est l'odeur la moins bête du monde.* On ne pourrait en rapprocher que l'odeur d'un cirque ou d'un port de mer.

L'opium brut. Si vous ne l'enfermez pas dans une caisse de métal, et que vous vous contentiez d'une boîte, le serpent noir aura vite fait de ramper dehors. Soyez prévenu ! Il longe les murs, descend les marches, les étages, tourne, traverse le vestibule, la cour, la voûte, et bientôt il s'enroulera autour du cou du sergent de ville.

*

Dire « les drogues » en parlant d'opium revient à confondre du Pommard avec du Pernod.

*

Il y avait dans ma chambre l'officier de marine qui soignait trois corps et qui changeait de jambes à toute allure.

Quand je dessine, la garde me dit : « Vous me faites peur, vous avez une figure d'assassin. »

Je n'aimerais pas qu'on pût me surprendre en train d'écrire. J'ai toujours dessiné. Ecrire, pour moi, c'est dessiner, nouer les lignes de telle sorte qu'elles se fassent écriture, ou les dénouer de telle sorte que l'écriture devienne dessin. Je ne sors pas de là. J'écris, j'essaie de limiter exactement le profil d'une idée, d'un acte. Somme toute, je cerne des fantômes, je trouve les contours du vide, je dessine.

*

Rendre le mystère lumineux (mystère mystérieux, obscur : pléonasme), donc lui rendre sa pureté de mystère. *Meine Nacht ist Licht...*

*

Créer : tuer autour de soi tout ce qui empêche de se projeter dans le temps par l'entremise d'une apparence quelconque, l'intérêt de cette apparence n'étant qu'un subterfuge pour se rendre visible après sa mort.

*

SURPRISES DU TRIBUNAL DE DIEU

Une petite fille vole des cerises. Toute sa longue vie se passe à racheter cette faute par des prières. La dévote meurt. DIEU : *Vous êtes élue parce que vous avez volé des cerises.*

*

L'histoire du figuier, auquel Jésus ayant faim demande des figues, à la saison où il n'en porte pas, et sur lequel il se venge.

Jésus va mourir. Il lui reste quelques jours. Il ne parle plus ; il compte ses gestes. Son geste foudroyant l'arbre innocent auquel il demande l'impossible, exige d'être compris comme les œuvres qui paraissent obscures parce qu'elles sont concises. Il n'a rien à voir avec l'absurde bon plaisir des rois.

Il faudrait en finir avec la légende des visions de l'opium. L'opium alimente un demi-rêve. Il endort le sensible, exalte le cœur et allège l'esprit.

A moins de se soûler comme avec n'importe quoi

d'autre, je ne lui trouve aucune vertu sacrilège. Son seul défaut est de rendre malade à la longue. Mais il arrive qu'on prenne la mort à l'église.

Si la route est droite de l'église à Dieu, je recommande celle de Chablis, toujours vide, une nuit de Noël.

*

LES DESSEINS DE MA PLUME
LES DESSINS OBSCURS DE LA PROVIDENCE

Un pur esprit ne peut ni commencer ni finir et jamais il ne se transforme. La chute des anges est donc insensée. Je veux dire *qu'elle n'a pas de sens* dans la mesure où elle évoque des films tournés à l'envers. Le diable représente en quelque sorte les défauts de Dieu. Sans le diable Dieu serait inhumain.

*

Il y a des diables de Saint-Sulpice.

*

Quincey m'étonne lorsqu'il parle de ses promenades et de ses séances d'Opéra. Car il suffit d'un changement de pose, d'une lumière, pour détruire l'énorme édifice de calme.

Fumer à deux est déjà beaucoup. Fumer à trois est difficile. Fumer à quatre, impossible.

*

Ecœuré par les lettres, j'ai voulu dépasser les lettres et vivre mon œuvre. Il en résulte que mon œuvre me mange, qu'elle commence à vivre et que je meurs. Au reste, les œuvres se partagent en deux : celles qui font vivre ; celles qui tuent.

Un jour, un de nos écrivains à qui je reprochais d'écrire des livres à succès et de ne jamais s'écrire, me conduisit devant une glace. « Je veux être fort, dit-il. Regardez-vous. Je veux manger. Je veux voyager. *Je veux vivre*. Je ne veux pas devenir un stylographe. »

Un roseau pensant ! Un roseau souffrant ! Un roseau saignant ! C'est cela. En somme j'en arrive à cette constatation sinistre : pour n'avoir pas voulu devenir un littérateur, on est devenu un stylographe.

*

Les nerveux (normaux) s'éteignent le soir. Les nerveux (opiomanes) s'allument le soir.

Ici, n'importe quel livre m'est bon, pourvu que les gardes me fournissent. Je lisais LE FILS DE D'ARTAGNAN, par Paul Féval fils. Soudain Athos et le fils Artagnan se trouvent face à face. Je pleure. Je n'ai aucune honte de ces larmes. Ensuite, je rencontre cette phrase : « *Le visage ensanglanté était recouvert d'un masque de velours noir, etc.* »

Quoi ? le baron de Souvré, après ses luttes, ses bains, encore avec son masque ? Naturellement. Souvré porte un masque de velours noir. Voilà son personnage. Voilà le secret de la grandeur de FANTOMAS. Les auteurs épiques ne se gênent pas plus avec les postiches et les fausses dates qu'Homère avec la géographie et les métamorphoses.

Ce n'est pas de l'opium qu'il faut guérir, c'est de l'intelligence. Depuis 1924, je ne garde que mes travaux de prisonnier.

*

Les livres doivent avoir du feu et de l'ombre. Les

ombres changent de place. A seize ans on dévore DORIAN GRAY. Ensuite le livre devient ridicule. Il m'est arrivé de le reprendre et d'y trouver des ombres très belles (épisode du frère de Sybil Vane) et de voir comme on est injuste. Dans certains livres les ombres ne bougent pas ; elles dansent sur place. MOLL FLANDERS, MANON, PAN, LA CHARTREUSE, SPLENDEURS ET MISÈRES, GENJI.

Tous les critiques officiels ont dit que THOMAS L'IMPOSTEUR racontait une fausse guerre et qu'on voyait bien que je n'y avais pas été. Or il ne se trouve pas un seul paysage, pas une seule scène de ce livre que je n'aie habité ou vécue. Le sous-titre : histoire, avait deux sens.

Ils prennent cette neige mise entre la terre et les pieds de Thomas, cette démarche des songes, pour une légèreté de mauvais goût. L'offense au poilu.

J'ai quitté la guerre lorsque j'ai compris, une nuit à Nieuport, que je *m'amusais*. Cela me dégoûta. J'avais oublié la haine, la justice, et autres balançoires. Je me laissais porter par les amitiés, les dangers, les surprises, un séjour dans la lune. A peine eus-je fait cette découverte, je m'employai à partir, à profiter d'être malade. Je le cachais comme les enfants qui jouent.

*

Nous autres poètes, nous avons une manie de vérité, nous cherchons à rapporter en détail ce qui nous frappe. « Est-ce assez du *vous* ! » voilà l'éloge qu'attire toujours notre exactitude.

On imagine le crédit que rencontre l'honnêteté de nos rapports sur ce que nous sommes seuls à voir, d'après l'incrédulité *admirative* que soulève notre exactitude à propos de spectacles visibles et quotidiens.

Or le poète ne demande aucune admiration ; il veut être cru.

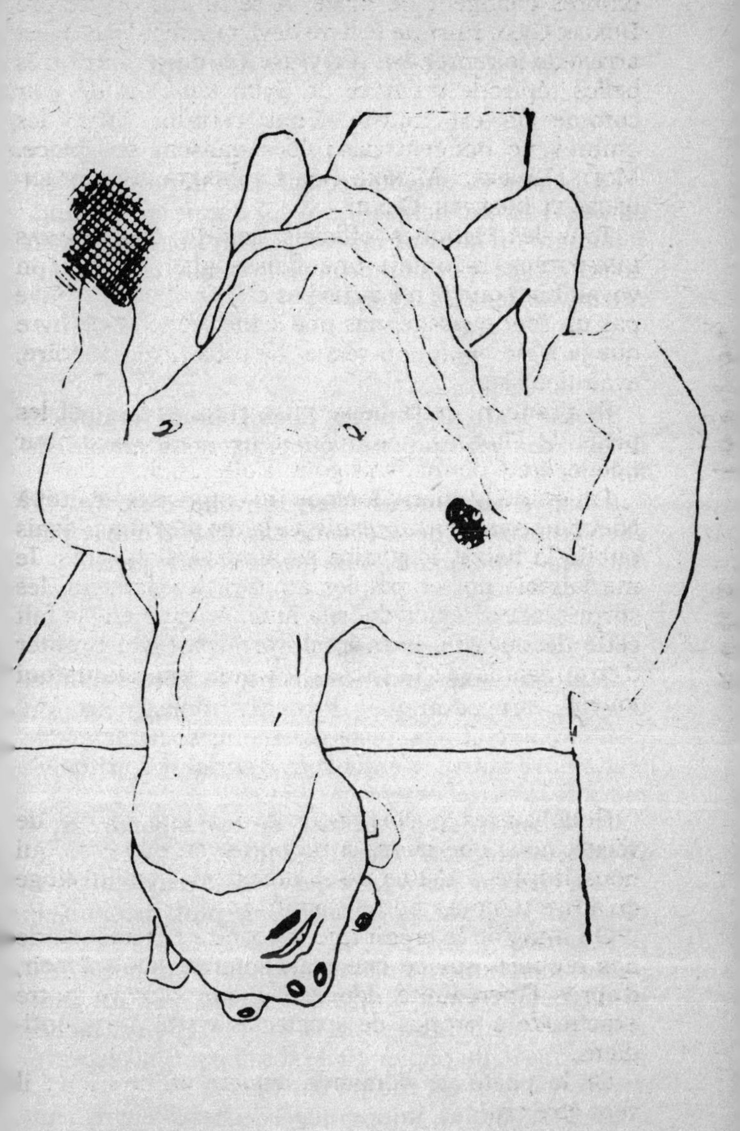

*

Tout ce qui n'est pas cru reste décoratif.

*

La beauté va vite, lentement. Elle déroute par cet alliage d'inconciliables. Le recul donne au mélange inhumain un faux air humain, un air possible, un air noble. Grâce à ce compromis, le public croit entendre et voir les classiques.

*

Vitesse lente de l'opium. Sous l'opium on devient le lieu des phénomènes que l'art nous envoie du dehors.

Il arrive au fumeur d'être un chef-d'œuvre. Un chef-d'œuvre qui ne se discute pas. Chef-d'œuvre parfait, parce que fugitif, sans forme et sans juges.

*

Quel que soit l'individualisme, le côté solitaire, réservé, aristocratique, luxueux, monstrueux du chef-d'œuvre, il n'en reste pas moins social, capable d'atteindre autrui, d'émouvoir, d'enrichir spirituellement et matériellement une masse.

Or le besoin de s'exprimer, de correspondre avec l'extérieur, disparaît chez l'hédoniste.

Il ne cherche pas à faire des chefs-d'œuvre, il cherche à en devenir un lui-même, le plus inconnu, le plus égoïste.

Dire d'un fumeur en état continuel d'euphorie qu'il se dégrade, revient à dire du marbre qu'il est détérioré par Michel-Ange, de la toile qu'elle est tachée par Raphaël, du papier qu'il est sali par Shakespeare, du silence qu'il est rompu par Bach.

Rien de moins impur que ce chef-d'œuvre : un

fumeur d'opium. Rien de plus naturel que la société, qui exige le partage, le condamnant comme une beauté invisible et sans l'ombre de prostitution.

*

Le peintre qui aime peindre les arbres devenant un arbre. Les enfants portent en eux une drogue naturelle. La mort de Thomas l'Imposteur, c'est l'enfant qui joue au cheval, devenu cheval.

Tous les enfants ont un pouvoir féerique de se changer en ce qu'ils veulent. Les poètes en qui l'enfance se prolonge souffrent beaucoup de perdre ce pouvoir. Sans doute est-ce une des raisons qui poussent le poète à employer l'opium.

*

Un souvenir me frappe. Lorsque, après le procès de Satie (il avait envoyé des cartes postales injurieuses), je me livrai à « *des menaces de voies de fait sur un avocat dans l'exercice de ses fonctions* », je n'envisageai pas une seconde les suites de mon acte. C'était un acte passionnel. Le présent nous absorbe tout entier. Notre psychisme se contracte jusqu'à devenir un point. Plus de passé, plus d'avenir.

Le passé, l'avenir me tourmentent et les actes de passion se comptent. Or l'opium brasse le passé, l'avenir, en forme un tout actuel. C'est le négatif de la passion.

L'alcool provoque des accès de folie.

L'opium provoque des accès de sagesse.

*

CHIENS. Satie voulait faire un théâtre pour chiens. Le rideau se lève. Le décor représente un os.

En Angleterre on vient de tourner un film pour

chiens. Les cent cinquante chiens invités se précipitent sur l'écran et le mettent en pièces. *(N. Y. Times.)*

*

Rue La Bruyère, au 45, chez mon grand-père très ennemi des chiens et très maniaque d'ordre, je sors (j'avais quatorze ans) avec un fox d'un an et demi, toléré tout juste. En bas des marches blanches du vestibule, mon fox s'arc-boute et se soulage. Je m'élance, la main haute. L'angoisse dilate l'œil de la pauvre bête ; elle dévore sa crotte et fait le beau.

*

A la clinique on fait à cinq heures au vieux bulldog mourant une piqûre de morphine mortelle. Une heure après il joue au jardin, saute, se roule. Le lendemain, à cinq heures, il gratte à la porte du docteur et demande sa piqûre.

*

Le chien de Mme de C..., à Grasse, amoureux de la chienne de Marie C... qui habite à quelques kilomètres. Il guette le tram, saute sur la plate-forme. Même jeu au retour.

*

On avait vendu, sur les boulevards, un chien minuscule à Mme A. D... Elle rentre, pose le chien par terre pour chercher de l'eau. Elle revient et trouve le chien perché sur un cadre. C'était un rat dans une peau de chien. De colère, il était parvenu à ronger ses fausses pattes.

*

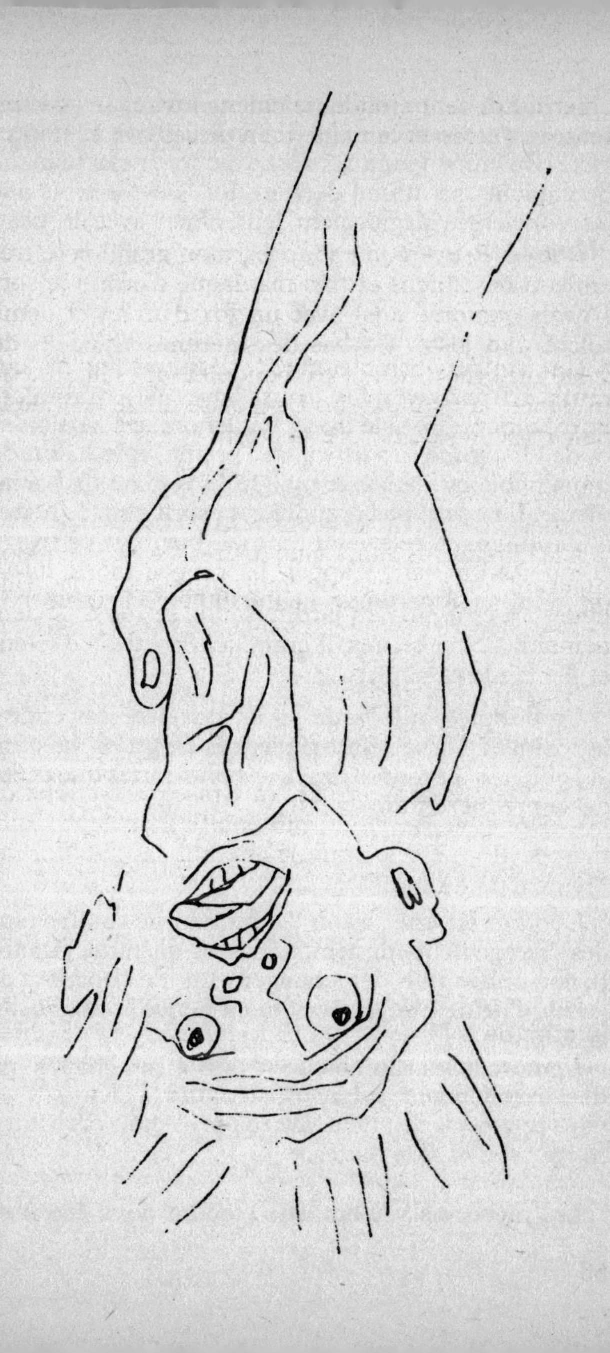

Le duc de L...payait les concierges du château pour soigner son vieux caniche. Un jour il arrive à l'improviste. Un chien jaune accourt avec une peau blanche de caniche qui traîne derrière lui. Depuis trois ans les concierges déguisaient leur chien avec la peau du mort.

*

Un fumeur complètement désintoxiqué et qui refume, n'éprouve plus les malaises de la première intoxication. Il existe donc, en dehors des alcaloïdes et de l'habitude, un esprit de l'opium, une habitude impalpable qui subsiste malgré la refonte de l'organisme. Il ne faut pas prendre cet esprit pour le regret d'un opiomane redevenu normal, bien que ce regret comporte une part d'appel. La drogue morte laisse un fantôme. A certaines heures il hante la maison.

*

Un désintoxiqué garde en lui des défenses contre le toxique. S'il se réintoxique, ces défenses agissent et l'obligent à prendre des doses plus fortes que celles de sa première intoxication.

*

L'opium est une saison. Le fumeur ne souffre plus des changements de temps. Il ne s'enrhume jamais. Il ne souffre que des changements de drogues, de doses, d'heures, de tout ce qui influence le baromètre de l'opium.

L'opium a ses rhumes, ses froids et ses chauds qui ne correspondent pas avec le froid et le chaud.

*

Les médecins veulent que l'opium nous émousse

et nous ôte le sens des valeurs. Or l'opium, s'il retire sous nos pieds l'ancienne échelle des valeurs, nous en dresse une autre beaucoup plus haute et plus fine.

*

(1930.) On ne peut pas dire que l'opium, en débarrassant de toute hantise sexuelle, diminue le fumeur, car, non seulement il ne provoque aucune impuissance, mais encore il remplace cet ordre de hantises assez basses par un ordre de hantises assez hautes, très singulières, et ignorées d'un organisme sexuellement normal.

Par exemple un type d'esprit sera flairé, recherché, apparenté à travers les siècles et les arts, contre toute apparence, et hantera cette sexualité transcendante comme un type humain, à travers les sexes et les milieux sociaux les plus disparates, hantera la sexualité inculte *(Dargelos, Agathe, les stars, les boxeurs de la chambre de Paul).*

*

Toutes les bêtes sont charmées par l'opium. Les fumeurs coloniaux connaissent le danger de cet appât pour les fauves, les reptiles.

Les mouches se groupent autour du plateau et rêvent, les salamandres se pâment au plafond au-dessus de la lampe avec leurs petites mitaines et attendent l'heure, les souris s'approchent et grignotent le dross. Je ne parle pas des chiens, des singes, intoxiqués comme leurs maîtres.

A Marseille, chez les Annamites où l'on fume avec un matériel propre à dérouter la police (tuyau à gaz, bouteille échantillon de bénédictine percée d'un trou, épingles à chapeau), les cafards et les araignées forment le cercle, en extase.

*

TRISTE SIRE. CE PEU INTÉRESSANT PERSONNAGE. Etiquettes qui seraient mises par les journaux ou par la police sur tous ceux que nous aimons, que nous admirons, que nous vénérons. Léonard de Vinci, par exemple.

Il y a, en outre, certains clichés supérieurs des gens qui savent. *Mais la jeunesse annamite ne fume plus. — En Indo-Chine le peuple ne fume plus. — On ne fume à bord que dans les livres.*

Lorsque j'écoute une de ces phrases, je ferme les yeux, je revois le poste des boys sur l'X..., un des plus vastes paquebots de la ligne Marseille-Saïgon. L'X... attendait l'appareillage. Le commissaire du bord, un fumeur de mes amis, m'avait proposé l'escapade. A onze heures du soir nous traversâmes les docks déserts et grimpâmes par l'échelle sur le pont. Il s'agissait de suivre notre guide à toute vitesse et de ne croiser aucune ronde. Nous enjambâmes des câbles, contournâmes des colonnes, des temples grecs, traversâmes des places publiques, des labyrinthes de machines, d'ombre et de lune, nous trompâmes d'écoutille et de corridors, tant et si bien que le pauvre guide commençait à perdre la tête, jusqu'à ce que, doucement, la grande odeur singulière nous mît sur le bon chemin.

Imaginez d'énormes sleepings, quatre ou cinq dortoirs où soixante boys fument sur deux étages de planches. Dans chaque dortoir, une longue table occupe l'espace vide. Debout sur ces tables, coupés en deux par un nuage plat et immobile à mi-chambre, les retardataires se déshabillent, tendent ces ficelles où ils aiment suspendre le linge, se frottent doucement une épaule.

La scène est éclairée par les veilleuses des lampes, au sommet desquelles la drogue crépite. Les corps s'imbriquent les uns dans les autres et, sans soulever la moindre surprise, la moindre mauvaise grâce, nous prîmes place là où il ne restait vraiment de place pour personne, nos jambes en chien de fusil, nos nuques appuyées sur des escabeaux. Notre remue-ménage ne dérange même pas un des boys qui dort la tête contre ma tête. Un cauchemar le convulse ; il a coulé au fond du sommeil qui l'étouffe, qui lui entre par la bouche ouverte, par les grosses narines, par les oreilles décollées. Sa figure tuméfiée, fermée comme un poing furieux, il transpire, il se retourne, il déchire ses loques de soie. Il semble qu'un coup de bistouri le délivrerait, ferait sortir le cauchemar. Ses grimaces forment un contraste extraordinaire avec le calme des autres, calme végétal, calme qui me rappelle quelque chose de familier... Quoi ? Sur ces planches les corps recroquevillés où le squelette visible sous la peau très pâle n'est plus que l'armature délicate d'un songe... Au fait, ce sont les oliviers de Provence que ces jeunes fumeurs m'évoquent, les oliviers tortueux sur la terre rouge, plate, et dont le nuage d'argent reste suspendu en l'air.

Dans ce poste, je n'étais pas loin de croire que tant de légèreté profonde permettait seule au très monumental navire de flotter sur l'eau.

*

J'ai voulu prendre des notes au fur et à mesure de mon séjour à la clinique, et surtout me contredire, afin de suivre les étapes du traitement. Il importait de parler de l'opium sans gêne, sans littérature et sans aucune connaissance médicale*.

Les spécialistes paraissent ignorer le monde qui sépare l'opiomane et les autres victimes des toxiques, la drogue et les drogues.

Je n'essaie pas de défendre la drogue ; j'essaie d'y voir clair dans le noir, de mettre les pieds dans le

* Consulter le LIVRE DE LA FUMÉE, de Louis Laloy, seul bel ouvrage moderne sur l'opium.

plat, d'aborder de face des problèmes qu'on aborde toujours de profil.

Je suppose que la jeune école de médecine commence à secouer le joug, à se révolter contre les préjugés ridicules, à suivre le train.

Chose étrange. Notre sécurité physique accepte des médecins correspondant aux artistes que notre sécurité morale refuse. Etre soigné par un Ziem, un Henner, un Jean Aicard !

Les jeunes découvriront-ils soit une méthode active de désintoxication (la méthode actuelle reste passive), soit un régime qui permette de supporter les bienfaits du pavot ?

La Faculté déteste l'intuition, le risque ; elle veut des praticiens, oubliant qu'elle les a grâce aux découvertes qui se butent d'abord contre le scepticisme, une des pires espèces du confort...

On objecte : l'art et la science suivent d'autres routes. C'est inexact.

*

Un homme normal, au point de vue sexuel, devrait être capable de faire l'amour avec n'importe qui et même avec n'importe quoi, car l'instinct de l'espèce est aveugle ; il travaille en gros. C'est ce qui explique les mœurs coulantes, attribuées au vice, du peuple et surtout des marins. L'acte sexuel compte seul. Une brute s'inquiète peu des circonstances qui le provoquent. Je ne parle pas de l'amour.

Le vice commence au choix. Selon l'hérédité, l'intelligence, la fatigue nerveuse du sujet, ce choix se raffine jusqu'à devenir inexplicable, comique ou criminel.

*

Une mère disant : « Mon fils n'épousera qu'une blonde », ne se doute pas que sa phrase correspond aux pires imbroglios sexuels. Travestis, mélanges de sexes, supplices de bêtes, chaînes, insultes.

*

Étrange désintéressement de la sexualité par l'existence d'une progéniture spirituelle

L'art naît du coït entre l'élément mâle et l'élément femelle qui nous composent tous, plus équilibrés chez l'artiste que chez les autres hommes. Il résulte d'une sorte d'inceste, d'amour de soi avec soi, de parthénogenèse. C'est ce qui rend le mariage si dangereux chez les artistes, pour lesquels il représente un pléonasme, un effort de monstre vers la norme. Le signe du « triste sire » qui étoile tant de génies, vient de ce que l'instinct de création, satisfait par ailleurs, laisse le plaisir sexuel libre de s'exercer dans le pur domaine de l'esthétique et le porte aussi vers des formes inféconds.

*

On ne peut pas traduire un véritable poète, non que son style soit musical, mais la pensée comporte une plastique, et si la plastique change, la pensée change.

Un Russe me disait : « Le style d'Orphée est musical à rebours de ce que le public appelle musical. Malgré son manque de musique, il est musical parce qu'il laisse l'esprit libre d'en profiter comme il veut. »

*

Un poète, à moins d'être politicien (Hugo, Shelley,

Jean.
1929

Byron), ne doit compter que sur les lecteurs qui connaissent sa langue, l'esprit de sa langue et l'âme de sa langue.

*

La foule aime les œuvres qui imposent leur chant, qui l'hypnotisent, hypertrophiant sa sensibilité jusqu'à endormir le sens critique. La foule est féminine ; elle aime obéir ou mordre.

*

Radiguet disait : « *Le public nous demande s'il est sérieux. Je lui demande s'il est sérieux.* » Hélas ! les œuvres géniales exigent un public génial. On arrive à un substitut de cet état réceptif génial par l'électricité que dégage une agglomération de personnes médiocres. Ce substitut permet de s'illusionner sur le sort d'une œuvre de théâtre.

*

Depuis 70, les artistes s'habituent à mépriser le public. La bêtise du public est admise. Ce préjugé risque de rejoindre les préjugés du public. De même l'absurde préjugé contre la Comédie-Française, l'Opéra, l'Opéra-Comique, théâtres de tous les scandales illustres.

N'y aurait-il pas, pour les chercheurs, un problème à résoudre ? Jadis le génie atteignait le public avec des lenteurs, des concessions, voire des intermèdes. Il faudrait étudier le public, trouver le tour de cartes qui le tromperait sur des œuvres rapides.

Le cinématographe a dégourdi les cerveaux. Chez Dullin, nous avons touché deux cents fois le public populaire par l'entreprise d'ANTIGONE (la pièce dure quarante minutes) jouée à toute vitesse et sans autre trame que l'amour fraternel. Ce public ignorait Sophocle.

*

Quel serait un poète, un dramaturge doué des facultés d'hypnose collective du fakir des Indes ? Pourquoi vous vantez-vous donc de n'être pas dans la zone d'illusion et de voir le tour derrière ce rideau ? C'est le cas des personnes qui se moquent du génie faute d'en être atteintes. C'est toute la différence entre nous et l'appareil de prises de vues avec son œil de vache. Bien des esprits confondent être atteints et être victimes, admirer et être dupes. Ils se raidissent contre l'hypnose. C'est facile, hélas ! car le poète joue son fluide par la bande et possède les plus faibles moyens de convaincre.

Un musée n'a d'excuse que dans la mesure où il témoigne d'activités anciennes, où il garde ce qui reste de phosphorescence autour des œuvres, ce qu'elles dégorgent de fluide et par quoi elles arrivent à vaincre la mort.

*

Stendhal a bien raison d'écrire qu'une femme montait en voiture avec génie. L'emploi du mot « génie » blesse notre avarice d'éloges.

Or jamais un poète — peintre par exemple — ne dépense davantage son génie que dans certaines farces, certaines charades, certains déguisements improvisés qui le rendent suspect aux esprits lourds et par quoi il s'exprime sans l'entremise d'aucun des calculs ni d'aucune des matières mortes indispensables à la durée d'une œuvre d'art.

C'est cette minute flamboyante de lyrisme, cet incendie, pur de tout cet ennui qui exerce une fascination sur les graves imbéciles, que Picasso parvient à fixer dans certaines œuvres.

*

On n'en sort pas. Si Picasso, dans une de ses crises contre la peinture, sautait par la fenêtre, M. X..., le collectionneur génial, dirait : « *Cela fait une jolie tache* », achèterait le trottoir et le ferait encadrer *avec une fausse fenêtre*, par Z..., l'encadreur génial.

Picasso, peintre de crucifixions. Ses toiles qui résultent de crises de rage contre la peinture (linge déchiré, clous, corde, fiel), où le peintre se crucifie, crucifie la peinture, crache dessus, donne le coup de lance, et se trouve maté, obligé fatalement à ce que tout ce massacre finisse par une guitare.

Mon rêve, en musique, serait d'entendre *la musique des guitares de Picasso.*

*

(Avril 1930.) En plein ciel bleu, debout sur une boule comme le monde indou repose sur l'éléphant et sur les tortues, des mondes qui sont des personnes en os et en chair, des carcasses roses, monstres de solitude et d'amour.

*

Le scandale de PARADE était un scandale de public. Il venait aussi d'une coïncidence de la représentation avec la bataille de Verdun. La manchette du journal L'ŒUVRE portait : *Nous attendions un rouleau compresseur, on nous donne un Ballet Russe.*

Le scandale des MARIÉS fut une lessive de linge sale en famille. Le public emboîtait le pas. Le scandale vint d'artistes qui considéraient la Tour Eiffel comme leur propriété, l'aïeule des machines, le premier mot du modernisme, et qui n'admettaient pas de la voir rejoindre le bric-à-brac charmant de l'exposition de 89.

*

Les scandales d'idées ne me regardent pas. Je ne m'occupe que des scandales de matière. Si on m'interroge sur le scandale d'une pièce à thèse, je ne peux pas répondre. Le scandale pourrait se produire à la Chambre, à l'église, au tribunal, n'importe où.

L'absence de scandale au BŒUF SUR LE TOIT, à ANTIGONE, à ROMÉO, à ORPHÉE, vint d une longue période où le snob, averti par ses gaffes, s'applaudissait lui-même.

MERCURE a profité de cette disposition du public. De plus, le spectacle distrayait, empêchait d'entendre l'orchestre de Satie.

La veille de 1930, le snob, remonté sur sa bête, se permet de condamner par le silence des œuvres où Stravinsky remporte les plus hautes victoires sur lui-même et sur la musique.

Puisque le visa ministériel est en vigueur pour les films, nous sommes à un cheveu de la censure.

Le désastre d'une censure serait terrible à notre époque où la jeunesse défriche des terres laissées incultes par la faute de la censure. Je ne préjuge pas de l'avenir. Une censure désarme un Proust, un Gide, un Radiguet, une Desbordes. Pensez-y. On ampute la psychologie. Les procès d'auteurs se perdent. On taxe, on emprisonne, on exile. L'éternel scandale recommence.

*

Le demi-sommeil d'opium nous fait tourner des couloirs et traverser des vestibules et pousser des portes et nous perdre dans un monde où les gens réveillés en sursaut ont horriblement peur de nous.

*

L'opium doit nous rendre un peu visibles à l'invisible, faire de nous des spectres qui effraient les spectres chez eux.

L'opium est vraiment efficace une fois sur vingt.

*

Ne jamais confondre le fumeur d'opium et l'opiophage. Autres phénomènes.

*

Après avoir fumé, le corps pense. Il ne s'agit pas de la *pensée confuse* de Descartes.

Le corps pense, le corps songe, le corps floconne, le corps vole. Le fumeur embaumé vivant.

*

Le fumeur s'observe à vol d'oiseau.

*

Ce n'est pas moi qui m'intoxique, c'est mon corps.

« ... comme certains radicaux chimiques, essentiellement inquiets à l'état de pureté, s'emparent gloutonnement d'un élément capable de leur donner le repos. »

JULIEN BENDA.

Ma nature a besoin de sérénité. Une mauvaise force me pousse aux scandales comme un somnambule sur le toit. La sérénité de la drogue m'abritait contre cette force qui m'oblige à m'asseoir sur la sellette, alors que la simple lecture d'un journal me détruit.

*

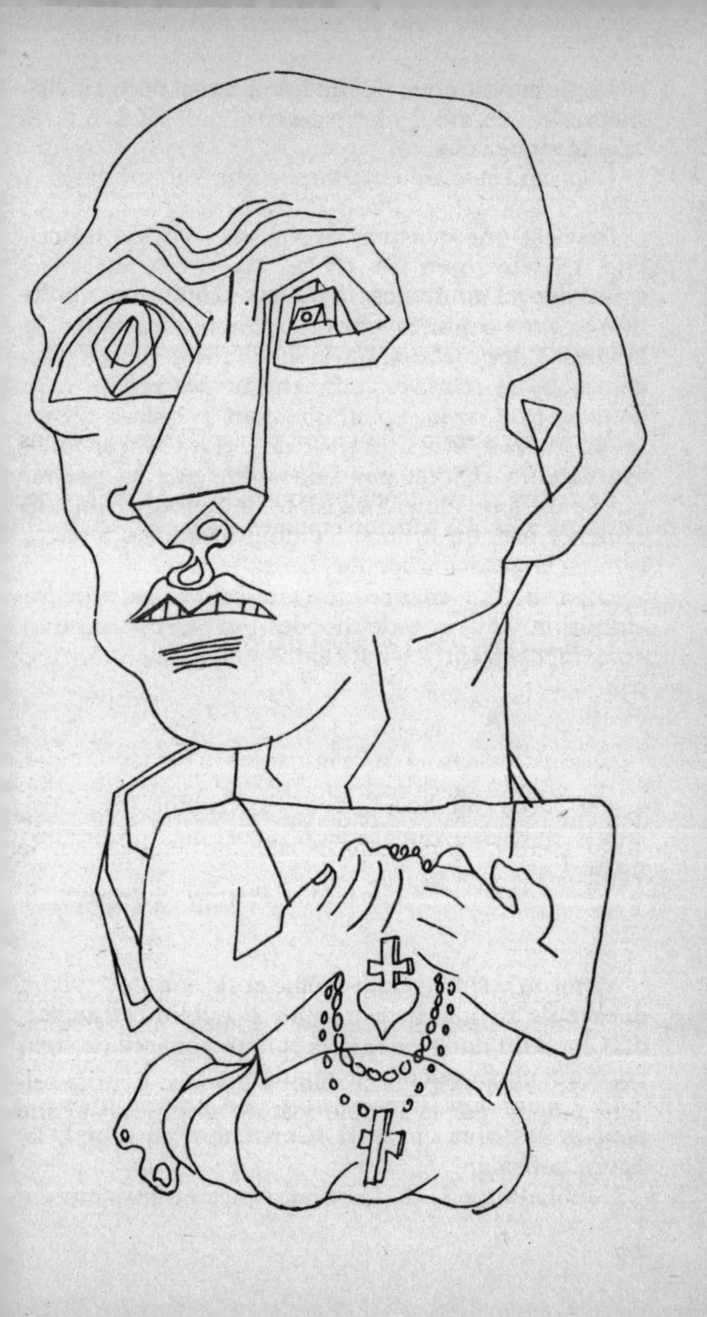

Nous ne servons que de modèle à notre portrait glorieux.

*

Tout est une question de vitesse. (Vitesse immobile. La vitesse en soi. OPIUM : la vitesse en soie.) Après les plantes, dont la vitesse différente de la nôtre ne nous montre que de l'immobilité relative, et la vitesse des métaux, qui nous montre encore plus d'immobilité relative, commencent des règnes trop lents ou trop rapides pour que nous puissions même les apercevoir, être aperçus d'eux. (Le CAP, l'ange, le ventilateur.) Il n'est pas impossible que le cinéma puisse un jour filmer l'invisible, le rendre visible, le ramener à notre rythme, comme il ramène à notre rythme la gesticulation des fleurs.

L'opium, qui change nos vitesses, nous procure l'intuition très nette de mondes qui se superposent, se compénètrent, et ne s'entre-soupçonnent même pas.

*

« Si Jésus, au lieu d'avoir été crucifié, avait été lapidé, quel changement dans la fortune du Christianisme ! »

BENDA. *Mon Premier Testament.*

Même si je sors de moi-même et si j'adopte le point de vue de Benda, il se trompe. Il oublie l'étrangeté du Christ nu dans les églises et d'un appareil de supplice qui correspondait à la guillotine.

Le Christ lapidé fournissait une grande image : debout, les bras en croix (Christ devenu croix), la figure qui saigne.

L'oubliette : elle donnait naissance au mystère du

Christ disparu. Dans les églises : le Christ enlevé par les anges.

Christ décapité : il meurt par le glaive (la croix). Dans les églises : un glaive en forme de croix.

*

Je ne condamne pas la musique verbale et tout ce qu'elle entraîne de dissonances, de duretés, de douceurs nouvelles. Mais une plastique de l'âme, cela me sollicite beaucoup plus. Opposer une géométrie vivante au charme décoratif des phrases. Avoir du style et non un style. Un style qui ne se laisse pasticher d'aucune sorte. On ne saurait pas par où le prendre. Un style qui ne naisse que d'une coupe de moi, d'un durcissement de la pensée par le passage brutal de l'intérieur à l'extérieur. Avec cette halte ahurie du taureau sortant du toril. Exposer nos fantômes au jet d'une fontaine pétrifiante, ne pas apprendre à fignoler des objets ingénieux mais à pétrifier au passage n'importe quoi d'informe qui sort de nous. Rendre volumineux des concepts.

L'opium permet de donner forme à l'informe ; il empêche, hélas ! de communiquer ce privilège à autrui. Quitte à perdre le sommeil, je guetterai le moment unique d'une désintoxication où cette faculté fonctionnera encore un peu et coïncidera, par mégarde, avec le retour du pouvoir communicatif*.

*

Dès qu'un poète *se réveille*, il est idiot. Je veux dire intelligent. « Où suis-je ? » demande-t-il, comme les dames évanouies. Les notes d'un poète réveillé ne valent pas grand-chose. Je ne les donne que pour ce

* Les Enfants terribles, nés en 17 jours avec des fautes de style, d'orthographe auxquelles je n'ose pas toucher.

qu'elles valent ; à mes risques et périls. Une expérience de plus.

*

Il faut à tout prix guérir du soin maniaque d'écrire. Le style venant du dehors est indigne, même s'il se superpose exactement au style intérieur. Le seul style possible, c'est la pensée faite chair. Lecture de procès-verbaux, de mathématiciens, de géomètres, de spécialistes en quelque branche que ce soit. Supprimer toute autre lecture.

Anatole France : le classique d'après les classiques. L'art d'après l'art. Jamais talent pareil ne fut mis au service de la platitude.

*

Le poumon est un sac de globules. Chaque globule se divise en alvéoles, en correspondance directe avec les bronches. Un globule imite le poumon entier d'une grenouille. La surface interne, lisse, est tapissée d'un réseau de capillaires sanguins. De la sorte le poumon étalé, repassé, couvrirait deux cents mètres carrés. Vous avez bien lu.

La fumée imprègne donc d'un coup cent cinquante mètres carrés de surface pulmonaire.

La masse sanguine pulmonaire qui n'a, comme épaisseur, que sept millièmes de millimètre, représente un litre de sang.

Etant donné la vitesse de la circulation pulmonaire, on imagine la masse de sang qui traverse l'appareil respiratoire.

D'où les effets instantanés de l'opium chez le fumeur.

Le fumeur monte lentement comme une montgolfière, lentement se retourne et retombe lentement sur une lune morte dont la faible attraction l'empêche de repartir.

Qu'il se lève, qu'il parle, qu'il agisse, qu'il soit sociable, qu'il vive en apparence, gestes, démarche, peau, regards, parole n'en reflètent pas moins une vie soumise à d'autres lois de pâleur et de pesanteur.

Le voyage inverse aura lieu à ses risques et périls. Le fumeur paie d'abord sa rançon. L'opium le lâche, mais le retour manque de charmes.

Cependant, revenu sur sa planète, il garde une nostalgie.

*

La mort sépare complètement nos eaux lourdes et nos eaux légères. L'opium les sépare un peu.

*

L'opium est la seule substance végétale qui nous communique l'état végétal. Par lui nous avons une idée de cette autre vitesse des plantes.

On peut dire : le soleil est grand, cette poussière est petite, parce qu'ils relèvent de notre échelle des valeurs. Il est fou de dire : Dieu est grand, un atome est petit. Il est très étrange que presque personne ne vive avec le sentiment des siècles qui s'écoulent, entre chacune de nos respirations, pour les mondes créés et détruits par notre corps, que l'idée de ténèbres du corps leur cache les feux qui l'habitent, et qu'une différence de mesures leur rende incompréhensible le fait que ces mondes soient civilisés ou morts ; bref, que l'infiniment petit soit une découverte au lieu d'être un instinct.

Il en est de même pour l'infiniment grand (grand, petit par rapport à nous), puisque nous ne sentons pas que notre ciel, notre lumière, nos espaces sont un point d'ombre pour l'être dont le corps nous contient et dont la vie (courte pour lui) se déroule en siècles pour nous.

Malgré la foi, Dieu donnerait la nausée. La sagesse

de Moïse fut de limiter les hommes à leur petite maison.

L'HOMME NORMAL : Fumeur en moelle de sureau, pourquoi vivre de cette existence ? Mieux vaudrait vous jeter par la fenêtre.

LE FUMEUR : Impossible, je flotte.

L'HOMME NORMAL : Votre corps arrivera vite en bas.

LE FUMEUR : J'arriverai lentement après lui.

*

Il est difficile de vivre sans l'opium après l'avoir connu parce qu'il est difficile, après avoir connu l'opium, de prendre la terre au sérieux. Et à moins d'être un saint, il est difficile de vivre sans prendre la terre au sérieux.

*

Après la désintoxication. Le pire moment, le pire danger. La santé avec ce trou et une tristesse immense. Les docteurs vous confient loyalement au suicide.

*

L'opium, qui écarte un peu les plis serrés grâce auxquels nous croyons vivre longtemps, par minutes, par épisodes, nous enlève d'abord la mémoire.

Retour de la mémoire et du sentiment du temps (même chez moi où ils existent très peu à l'état normal).

*

L'esprit du fumeur bouge immobile, comme la moire.

Nous deux Marcel
Notes sur Proust (retour de la mémoire)

Il m'est impossible de me souvenir d'une première rencontre avec Proust. Notre bande l'a toujours traité en homme célèbre. Je le vois, avec une barbe, sur les banquettes rouges de Larue (1912). Je le vois, sans barbe, chez Mme Alphonse Daudet, harcelé par Jammes comme par un taon. Je le retrouve, mort, avec la barbe du commencement. Je le vois, avec et sans barbe, dans cette chambre de liège, de poussière et de fioles, soit couché, ganté, soit debout dans un cabinet de toilette d'affaire criminelle, boutonnant un gilet de velours sur un pauvre torse carré qui semblait contenir ses mécaniques, et mangeant, debout, des nouilles.

Je le vois parmi les housses. Il y en avait sur le lustre et sur les fauteuils. La naphtaline étoilait l'ombre. Il se dressait contre la cheminée du salon de ce *Nautilus* comme un personnage de Jules Verne, ou bien, près d'un cadre drapé de crêpe, en frac, comme Carnot mort.

Une fois, annoncé par la voix de Céleste au téléphone, il vint me prendre à trois heures de l'après-midi pour l'accompagner au Louvre voir le Saint-Sébastien de Mantegna. Cette toile occupait alors une place dans la salle de Madame Rivière, de l'Olympia, du Bain turc. Proust avait l'air d'une lampe allumée en plein jour, d'une sonnerie de téléphone dans une maison vide.

Une autre fois il devait (peut-être) venir vers onze heures du soir. J'étais chez ma voisine du premier étage dont il m'écrivait : « *Lorsque j'avais vingt ans elle refusait de m'aimer ; faut-il, lorsque j'en ai quarante et que j'en ai fait le meilleur de la duchesse de G..., qu'elle refuse de me lire ?* »

J'avais demandé qu'on me prévînt. A minuit je remontai. Je le trouvai sur mon palier. Il m'attendait, occupant une banquette dans les ténèbres. « Marcel, m'écriai-je, pourquoi n'êtes-vous pas au moins entré m'attendre chez moi ? Vous savez que la porte reste entrouverte. — Cher Jean, me répondit-il de sa voix qu'il barbouillait avec sa main et qui était une plainte, un rire, cher Jean, Napoléon a fait tuer un homme qui l'avait attendu chez lui. Évidemment je n'aurais lu que le Larousse, mais il pouvait traîner des lettres, etc. »

On m'a, hélas ! volé le livre où il m'écrivait des vers. Je me rappelle :

« *Afin de me couvrir de fourrure et de moire,*
« *Sans de ses larges yeux renverser l'encre noire,*
« *Tel un sylphe au plafond, tel sur la neige un ski,*
« *Jean sauta sur la table auprès de Nijinsky.*

Nous soupions après le théâtre avec le Ballet Russe.

« *C'était dans le salon purpurin de Larue*
« *Dont l'or, d'un goût douteux, jamais ne se voila.*
« *La barbe d'un docteur, blanditieuse et drue,*
« *Répétait : ma présence est peut-être incongrue,*
« *Mais s'il n'en reste qu'un je serai celui-là.*
« *Et mon cœur succombait aux coups d'*INDIANA.

Ce docteur qui connaissait les termes exacts servitil à la composition de Cottard ? INDIANA était l'air à la mode.

A cette époque, nous nous envoyions des adresses poétiques. La poste ne se fâchait pas. Par exemple :

Facteur, porte ces mots, te débarrassant d'eux,
Au boulevard Haussmann chez Marcel Proust, 102.

102, Boulevard Haussmann, oust !
Courez, facteur, chez Marcel Proust.

Proust répondait par des enveloppes couvertes de pattes de mouches. En alexandrins il décrivait la rue d'Anjou, depuis le boulevard Haussmann jusqu'au faubourg Saint-Honoré.

Près de l'antre où volait un jour Froment-Meurice
Et de l'ineffable Nadar...

J'ai oublié le début et je coupe la fin, car la flatterie jointe au reproche formaient sa méthode amicale.

Je me demande par quels prodiges du cœur, mes chers amis Antoine Bibesco, Lucien Daudet, Reynaldo Hahn, gardèrent l'équilibre. Malgré de nombreuses lettres (une, si belle, sur PARADE-reprise ; il comparait les acrobates aux *Dioscures* et appelait le cheval : *grand cygne aux gestes fous*) nous cessâmes de nous voir à la suite d'une scène burlesque. J'étais allé boulevard Haussmann, en voisin, sans chapeau et sans manteau. Lorsque j'entrai je dis : « Je n'ai pas de manteau, je gèle. »

Il voulait m'offrir une émeraude. Je refusai. Le surlendemain j'avais un rhume. Un tailleur vint prendre mes mesures pour une pelisse. L'émeraude devait d'abord m'en faciliter l'achat. Je renvoyai le tailleur et Marcel Proust m'en garda rancune. Il joignait, à son épître de griefs, d'autres griefs sur douze pages qu'il me chargeait de transmettre au comte de B... Cet interminable réquisitoire se terminait par un post-scriptum : *Au fait, ne dites rien.*

*

J'ai rapporté ailleurs (HOMMAGE A MARCEL PROUST, N.R.F.) l'anecdote du pourboire au concierge de l'hôtel Ritz. « Pouvez-vous me prêter cinquante francs ? — Tout de suite, monsieur Proust. — Gardez-les, c'était pour vous. »

Inutile d'ajouter que, le lendemain, le concierge dut recevoir le triple.

Marcel Proust ne faisait pas de personnages à clef, c'est entendu, mais certains amis entraient pour des doses très fortes dans ses mélanges. Il ne pouvait alors comprendre que le modèle, dont il peignait les défauts comme un charme, refusât de le lire, non par rancune, ce modèle étant incapable de se reconnaître, mais par faiblesse d'esprit. Il exigeait alors (Proust), avec des colères enfantines, quelque chose d'analogue au succès fou de Fabre chez les insectes.

*

Pour comprendre l'atmosphère de chez Proust, allez à la Comédie-Française. Poussez la dernière porte à droite d'un petit couloir entre le plateau et le grand foyer des artistes. C'était la loge de Rachel. Là, dans une chaleur de bouche de calorifère, vous verrez des housses, une harpe, un chevalet de peintre, un harmonium, des globes de pendules, des bronzes, des socles d'ébène, des vitrines vides, une poussière illustre... bref, vous serez chez Proust, attendant que Céleste vous introduise.

Je note cette similitude à cause de Rachel, de la Berma, de tout ce que les coïncidences soulèvent en nous d'énigmes sacrées.

*

La société nomme dépravation le génie des sens et le condamne parce que les sens relèvent de la cour d'assises. Le génie relève de la cour des miracles. La société le laisse vivre. Elle ne le prend pas au sérieux.

*

A l'âge où le Christ débute par sa mort, Alexandre meurt d'une indigestion de gloire. Je l'imagine, triste, au bout de son rouleau, se demandant ce qu'il pourrait posséder encore. On voudrait lui répondre : l'Amérique, un aéroplane, une montre, un gramophone, la T.S.F.

Les embaumeuses le gavent de miel. Il avait même les petites chances. Son urine sentait la violette. On se demande s'il n'est pas une légende inventée comme antidote aux mécomptes humains. Il reste de cette réussite un profil sur une monnaie que me donna Barrès. Le recto porte un sage, assis. Chacun sait que le verso et le recto d'une monnaie ont peu de chance de se rencontrer un jour.

*

Il y a le Christ et Napoléon. Impossible d'en sortir. La gloire heureuse au résultat limité ; la gloire malheureuse au résultat illimité. Dans la méthode Napoléon, un traître fait perdre la bataille. Le Christ : un traître fait gagner la bataille.

*

L'esthétique de l'échec est la seule durable. Qui ne comprend pas l'échec est perdu.

*

L'importance de l'échec est capitale. Je ne parle pas de ce qui échoue. Si l'on n'a pas compris ce secret, cette esthétique, cette éthique de l'échec, on n'a rien compris et la gloire est vaine.

Le nombre n'est jamais assez nombreux. Il transforme les cathédrales en chapelles.

Des admirateurs ne comptent pas. Il faut avoir bouleversé au moins une âme de fond en comble. Se faire aimer par le morne détour des œuvres.

*

« *Je l'ai déjà fait* » — « *Ça a déjà été fait* », phrases stupides ; leitmotiv du monde artiste depuis 1912.

Je déteste l'originalité. Je l'évite le plus possible. Il faut employer une idée originale avec les plus grandes précautions pour n'avoir pas l'air de mettre un costume neuf.

*

Une femme de soixante-dix ans me disait : « Ce qui a fait croire que les hommes de ma génération, les membres du *Jockey*, étaient spirituels, c'est le nombre de vins qu'on buvait à table. »

Après dîner, tout le monde était un peu ivre. Les uns croyaient dire des choses mordantes, les autres les entendre.

*

L'opium dégage l'esprit. Jamais il ne rend spirituel. Il éploie l'esprit. Il ne le met pas en pointe.

LE GRAND MEAULNES. LE DIABLE AU CORPS. Le bon élève Fournier ; le mauvais élève Radiguet. Ces deux myopes qui sortaient à peine de la mort et y rentrèrent bien vite, ne se ressemblaient pas, mais leurs livres communiquent le mystère du règne enfantin, plus inconnu que le règne végétal ou animal. Franz en classe, Franz cavalier blessé, Franz en maillot d'acrobate, le somnambule Augustin Meaulnes, la folle sur le toit, Yvonne et Marthe détruites par l'enfance terrible.

*

Après la mort de mon grand-père, comme je furetais dans sa chambre alléchante, sorte de bric-à-brac scientifico-artistique, je trouvai une boîte intacte de cigarettes Nazir et un fume-cigarettes en merisier. J'empochai le trésor.

Au printemps je me vois un matin à Maisons-Laffitte, dans les herbes hautes et les œillets sauvages, ouvrant la boîte et fumant une des cigarettes. La sensation de liberté, de luxe, d'avenir, fut si forte, que jamais, quoi qu'il arrive, je n'en retrouverai d'analogue. On me nommerait roi, on me guillotinerait, la surprise, l'étrangeté ne seraient pas plus intenses que cette ouverture interdite sur l'univers des grandes personnes ; univers de deuils et d'amertume.

Une chose encore me charme et me replonge instantanément dans l'enfance : le tonnerre. A peine il roucoule, à peine suit-il un vaste éclair mauve, une douceur m'inonde, une détente. Je détestais notre maison de campagne vide, les uns et les autres qui partent (occupés dehors), comme je déteste qu'on lise un journal devant moi. L'orage assurait une maison pleine, du feu, du jeu, une journée intime et sans déserteurs. Sans doute est-ce l'ancienne sensation d'intimité qui commande cette joie lorsque j'écoute le tonnerre.

*

L'Enfance

En 1915, notre fureur d'aventures organisait le plus cocasse des convois de Croix-Rouge. Une nuit, à R..., il pleuvait sur une cour de ferme. Cette cour fétide, le fumier, les crèches étaient pleines de grands blessés allemands et de leur ambulance prisonnière.

Tout à coup, dans un coin sombre encombré d'échelles, de fantômes, je tombai sur ce spectacle : Le jeune fils de Madame R..., boy-scout de onze ans, s'était dissimulé dans une ambulance, nous avait suivis, et là, accroupi, éclairé par une lanterne, armé de ciseaux à ongles, tirant la langue, trop froncé, trop occupé pour me voir, il coupait les boutons d'uniforme d'un officier allemand amputé d'une jambe. L'officier, ses yeux de statue entrouverts, regardait le très atroce garnement qui continuait sa récolte de souvenirs, comme sur un arbre.

*

Savonarole exploita cette monstruosité de l'enfance. Son équipe de boys-scouts pillait, cassait, arrachait, traînait les chefs-d'œuvre jusqu'au bûcher purificateur. Les mêmes enfants durent suivre, sans perdre un détail, les préparatifs de son supplice.

*

Je ne veux ni ne peux tuer. D'une famille de chasseurs, il arrive, à la campagne, qu'un lapin débouchant d'une touffe, j'épaule. Je me *réveille*, stupide, seul avec ce geste de mort.

A V..., suivi du fils du garde, j'arpentais les betteraves qui grincent, une carabine à amorces sur l'épaule. Un jour, je trouve, à l'orifice d'un terrier, le cadavre d'un lapin nouveau-né. Je rentre assez fier, je le montre.

MON ONCLE : *Tu as tué cette bête ?*

MOI (croyant que la vérité renseigne immédiatement les grandes personnes, qu'elle est une grande personne en contact direct avec mon oncle, que mon oncle sait tout mais entrera dans mon jeu) : *Oui, mon oncle !*

MON ONCLE : *Alors tu l'as tué à coups de crosse ?*

MOI (reconnaissant la voix encore douce et l'œil déjà terrible qui annoncent le dénouement des purges) : *Je ne l'ai pas tué. Je l'ai trouvé mort.*

MON ONCLE : *Trop tard, mon ami !*

On me gifle. On me couche. Je peux méditer, comprendre que la vérité n'est peut-être pas si intime avec les grandes personnes.

*

EMBROUILLER LA CHANCE. Le soir, à Maisons-Laffitte, l'oncle André fait partir des montgolfières ; mais il faut que le vent tombe. Mes cousins et moi, à table : *Pourvu que le vent tombe ! Ensuite : Pourvu que le vent ne tombe pas !* (en pensant : *Pourvu qu'il tombe !*) Ensuite : *Pourvu qu'il tombe !* (en embrouillant la chance). Ensuite, le vide obtenu et compliqué par des calculs où certains détails d'une affiche du CACAO VAN HOUTEN jouaient un rôle subtil. Ensuite, de telles ruses, que je m'y perdrais, avec ou sans l'opium, à l'heure actuelle.

Une grosse embrouille contre la chance : inviter du monde au goûter de quatre heures. « *Ce soir, notre oncle tire un feu d'artifice.* Le soir, à neuf heures, les messieurs fument la pipe, les dames tricotent au jardin. L'oncle a oublié la montgolfière. On sonne. Arrivent des familles avec des dentelles sur la tête. Surprise. Honte. Excuses. Les familles à dentelles s'en retournent. On nous fouette. Mon cousin, étrange maniaque ne pouvant manger que dans des assiettes portant le chiffre de Napoléon, crie à tue-tête : *C'est bien fait pour elle ! C'est bien fait pour elle !* — Elle ? La chance, la vérité, je ne sais plus.

*

Mon cousin cachait précieusement le mécanisme d'un baigneur cassé. Le ressort remonté à bloc, c'était : *la Moskovi* ; le ressort lâché : *la Moskova*. Cette chose inepte provoquant des fous rires, des mines sournoises, des conciliabules, inquiéta beaucoup nos familles pendant toutes les vacances et les leur gâcha.

*

J'aimais la petite B... J'avais deux ans de moins qu'elle. Pour l'épouser, disais-je, j'attendrai d'avoir deux ans de plus qu'elle. Cette petite B... voulait être plainte. Elle se brossait les gencives à sec. Puis, l'air vague, toussait, crachait, montrait un mouchoir rouge. Toute la famille, consternée, se rendait en Suisse. Ses frères échangeaient la Suisse, qu'ils n'aiment pas, contre des callots, billes de verre contenant une spirale de couleur.

*

Dans une pension de Moscou, la maîtresse ayant dit aux enfants : « Faites votre petite police vous-mêmes. Apprenez à juger. Si vos camarades agissent mal, punissez-les », trouve un élève pendu par les autres. Il se balançait au milieu de la cage de l'escalier. La maîtresse n'osait le dépendre, couper la corde, le précipiter en bas.

A Condorcet, en troisième, nous étions cinq de la pension Duroc. La pension se substituait aux familles. Sur un seul carnet de classe marbré de vert, elle nous punissait, nous excusait, nous épargnait les colles. Cette pension n'existait pas. Je l'avais inventée de toutes pièces. Comme on venait de découvrir la fraude, en rentrant chez nous je prétextai un mal de ventre. « J'ai mal là. » — C'était l'appendice. L'appendicite était en pleine vogue. Je me laissai opérer rue Bizet par frousse du collège. Plus tard j'appris que le proviseur voulut *passer l'éponge*, sous prétexte que

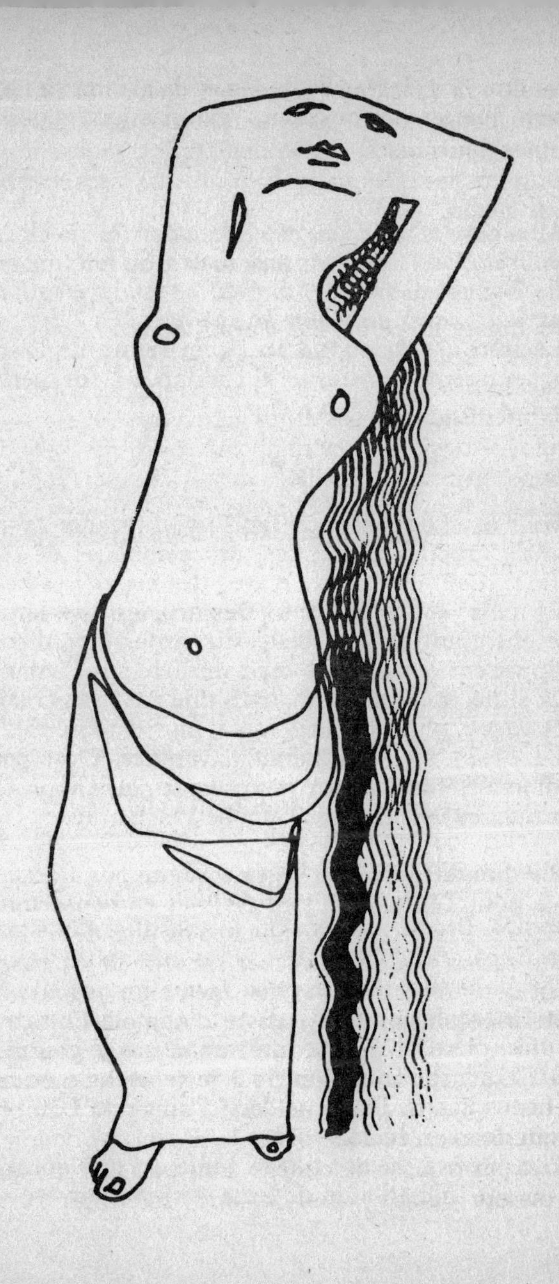

j'honorais les classes de dessin et de gymnastique. Je remportais les prix de cancre : gymnastique et dessin.

*

Mon père et ma mère entendent derrière la cloison mon frère Paul, qui a six ans, mettre au fait une nouvelle bonne allemande, arrivée le matin : « *Ah ! et puis, vous savez on ne me lave jamais !* »

Le frère de Raymond Radiguet rentre de l'école, vingt-huitième sur trente. Il l'annonce à son père et ajoute vite : « *C'est beaucoup !* »

*

Voilà le vif de l'enfance. LES ENFANTS TERRIBLES traitent de grandes personnes, des personnes de mon milieu. (Coutume de vivre avec des personnes beaucoup plus jeunes que soi.) Des articles, des lettres, une entre autres, fort belle, du professeur Allendy, m'apprirent que le livre était un livre sur l'enfance. Je la situe, moi, plus loin, dans une zone plus niaise, plus vague, plus décourageante, plus ténébreuse.

Le « jeu » s'y rattacherait davantage. C'est pourquoi je n'en parle guère, je n'ose pas plus l'approfondir que nos calculs avec l'affiche VAN HOUTEN.

Raymond Roussel ou le génie à l'état pur, inassimilable pour l'élite. LOCUS SOLUS met en cause toutes les lettres et me conseille une fois de plus de craindre l'admiration et de rechercher l'amour, mystérieusement compréhensif. En effet, même un des admirateurs innombrables de l'œuvre d'Anatole France ou de Pierre Loti ne peut trouver en elles une goutte du génie excusant leur gloire, s'il reste aveugle en face de LOCUS SOLUS. Il adopte donc France ou Loti pour ce qui nous en écarte.

Ceci prouve, hélas ! que le génie est une question de dosage immédiat et de lente évaporation.

*

Depuis 1910 j'entends rire des « *rails en mou de veau* » d'IMPRESSIONS D'AFRIQUE. Pourquoi voulez-vous que la crainte de provoquer le rire effleure Roussel ? Il est seul. Si vous le trouvez drôle, il vous prouve en quelques lignes (Olga Tcherwonenkoff) son sens du drôle opposé, avec tact, à son lyrisme gravement méticuleux.

En post-scriptum à une lettre récente qu'il m'adressait, il cite ce passage des MARIÉS DE LA TOUR EIFFEL :

PHONO UN : *Mais cette dépêche est morte.*

PHONO DEUX : *C'est justement parce qu'elle est morte que tout le monde la comprend.*

Ce post-scriptum prouve que Roussel n'ignore ni ce qu'il est, ni ce qu'on lui doit.

*

Certains mots provoquent le rire du public. *Mou de veau* empêche de voir la statue légère que ces rails supportent. Dans ORPHÉE le mot « caoutchouc » empêchait d'entendre cette phrase de Heurtebise : « *Elle a oublié ses gants de caoutchouc.* » Lorsque je jouai le rôle, je parvins à diminuer, puis à supprimer le rire, par d'imperceptibles préparatifs. Le public, prévenu sans le savoir, attendait « caoutchouc » au lieu d'être surpris par sa brusque prononciation. Il comprenait ensuite le côté chirurgical du terme.

*

Roussel, Proust démentent la légende de l'indispensable pauvreté du poète (lutte pour la vie, mansardes, antichambres...). Le refus des élites, l'inadoption machinale du neuf ne s'expliquent pas seulement par les entraves que le pauvre surmonte peu à peu. Un pauvre de génie a l'air riche.

Proust, grâce à sa fortune, vivait enfermé avec son univers, il pouvait se payer le luxe d'être malade, il était, en fait, malade par possibilité de l'être ; asthme nerveux, éthique sous forme d'hygiène fantaisiste, amenant la maladie véritable et la mort.

La fortune de Roussel lui permet de vivre seul, malade, sans la moindre prostitution. Sa richesse le protège. Il peuple du vide. Son œuvre n'a pas une tache de graisse. Il est un monde suspendu d'élégance, de féerie, de peur.

*

En fin de compte IMPRESSIONS D'AFRIQUE laisse une impression d'Afrique. L'histoire du zouave est le seul exemple d'écriture comparable à une certaine peinture, que recherche notre ami Uhde, et qu'il appelle peinture du *cœur sacré*.

Sauf Picasso dans un autre genre, personne mieux que Roussel n'a employé le papier de journal. Toque de juge sur le crâne de LOCUS SOLUS, toquet de Roméo et Juliette, de Seil-Kor.

Même remarque pour les atmosphères où se meut l'imagination de Roussel. Vieux décors de Casino, vieux meubles, vieux costumes, scènes comme on en voit peintes sur les orgues, les baraques foraines du bagne, du Coupeur de têtes, du musée Dupuytren. Le neuf ne se présente que sous l'apparence du fabuleux : les hippocampes et le Sauternes, Faustine, le vol de Rhédjed, le numéro de Fogar.

*

J'ai parlé d'une similitude entre Roussel et Proust. C'est une similitude sociale et physique de silhouettes, de voix, d'habitudes nerveuses prises dans un même milieu où ils vécurent leur jeunesse. Mais la différence de l'œuvre est absolue. Proust voyait beaucoup de monde. Il menait une vie nocturne très complexe. Il puisait dehors les matériaux de ses grandes horlogeries. Roussel ne voit personne. Il ne puise qu'en lui-même. Il invente jusqu'aux anecdotes historiques. Il machine ses automates sans le moindre secours extérieur.

*

Proust, Swann, Gilberte, Balbec, me font toujours penser à Souann, d'IMPRESSIONS D'AFRIQUE, l'ancêtre des Talou, et à la phrase de LOCUS SOLUS : *Gilbert agite sur les ruines de Balbek le fameux sistre impair du grand poète Missir.*

*

Le style de Roussel est un moyen, non une fin. C'est un moyen devenu fin sous les espèces du génie, car la beauté de son style est faite de ce qu'il s'applique à dire avec exactitude des choses difficiles, ne relevant que de sa propre autorité, de ne laisser aucune ombre intrigante autour de lui. Mais comme il est une énigme et *qu'il n'a rien autour de lui*, cet éclairage intrigue encore beaucoup plus.

Si Georges de Chirico se mettait à écrire au lieu de peindre, je suppose qu'il créerait avec sa plume une atmosphère analogue à celle de la place des Trophées.

En lisant la description de cette place, on pense à lui*.

*

Sous l'opium, on se délecte d'un Roussel et on ne cherche pas à faire partager cette joie. L'opium nous désocialise et nous éloigne de la communauté. Du

* (1930) HEBDOMEROS me donne raison. Chirico n'a pas lu Roussel. C'est une ressemblance de famille.

reste la communauté se venge. La persécution des fumeurs est une défense instinctive de la société contre un geste antisocial. Je prends ces notes sur Roussel comme une preuve du retour progressif à certaine communauté réduite. Au lieu d'emporter ses livres dans mon trou, je voudrais les répandre. Fumeur, j'en avais la paresse. Se méfier d'une pente vers la fosse commune.

C'est à Gide, qui généreusement nous lisait jadis IMPRESSIONS D'AFRIQUE, que je dois la découverte de LOCUS SOLUS et la lecture récente de cette admirable POUSSIÈRE DE SOLEILS.

On n'imagine pas ce qu'il m'a fallu vaincre de cloisons étanches, mises par l'opium entre le monde et moi, pour aimer J'ADORE. Sans l'urgence de souligner une apparition vraiment féerique, jamais je n'eusse fourni cet effort. J'aurais emporté le livre dans le monde où j'habitais seul.

*

Du reste, faut-il intervenir ? Encore la question de l'accouchement à l'américaine et du progrès médical. Je crois qu'il faut intervenir dans une certaine mesure. Le principe de non-intervention pourrait bien être une excuse aux paresses du cœur.

*

Aux yeux de Roussel, *les objets qu'il transfigure restent ce qu'ils sont*. C'est le génie le moins artiste. C'est le comble de l'art. Satie dirait : le triomphe de l'amateur.

Équilibre de Roussel pris pour du déséquilibre. Il souhaite l'éloge officiel et il sait son œuvre incomprise, prouvant par là que l'éloge officiel n'est pas méprisable en tant qu'officiel, mais en tant qu'il s'exerce mal.

*

R. Roussel montre d'abord la fin sans les moyens et il en tire des surprises qui reposent sur un sentiment de sécurité (GALA DES INCOMPARABLES). Ces moyens meublent la fin de son livre. Mais comme ces moyens contiennent la singularité qu'ils doivent à la personne de l'auteur, ils n'affaiblissent pas les énigmes qu'ils éclairent et auxquelles ils ajoutent un nouveau lustre aventureux.

Les épisodes divinatoires qui terminent LOCUS SOLUS sont probants. Ici, l'auteur montre d'abord les expériences, ensuite les trucs ; mais les trucs relèvent d'une réalité, Roussel, comme les trucs avoués par l'illusionniste ne nous rendent pas capables d'exécuter le tour. L'illusionniste qui montre son truc porte les esprits d'un mystère qu'ils refusent à un mystère qu'ils acceptent et vire à son compte des suffrages qui enrichissaient l'inconnu.

*

Le génie est l'extrême pointe du sens pratique.

*

Est génial tout ce qui, sans que le moindre automatisme, la moindre mémoire consciente aient le temps d'intervenir, destine logiquement et pratiquement un objet usuel à un emploi imprévu.

*

En 1918 je repoussais R. Roussel comme propre à me mettre sous un charme dont je ne prévoyais pas l'antidote. Depuis j'ai construit de quoi me défendre. Je peux le contempler du dehors.

*

« Toute raideur... de l'esprit... sera donc suspecte à « la société, parce qu'elle est le signe... d'une activité « qui s'isole... Et pourtant la société ne peut interve- « nir ici par une répression matérielle, puisqu'elle « n'est pas atteinte matériellement. Elle est en pré- « sence de quelque chose qui l'inquiète... à peine une « menace, tout au plus un geste. C'est donc par un « simple geste qu'elle y répondra. Le rire doit être « quelque chose de ce genre, une espèce de geste « social. »

BERGSON.

Il est amusant et significatif que Bergson ne parle jamais du rire injuste, du rire officiel en face de la beauté.

*

J'ai vu des films drôles et splendides, je n'ai vu que trois grand films : SHERLOCK HOLMES JUNIOR de Buster Keaton, LA RUÉE VERS L'OR de Chaplin, LE POTEMKINE d'Eisenstein. Le premier, emploi parfait du merveilleux, LA RUÉE, chef-d'œuvre égal par le détail et l'ensemble à L'IDIOT, à LA PRINCESSE DE CLÈVES, au théâtre grec, LE POTEMKINE où un peuple s'exprime par un homme.

En relisant ces notes (octobre 1929), j'ajoute : UN CHIEN ANDALOU, de Bunuel.

Le voilà, le style de l'âme. Hollywood devenait un garage de luxe et ses films des marques d'autos de plus en plus belles. Avec UN CHIEN ANDALOU, on se retrouve à bicyclette.

Avancez et tombez, bicyclette, cheval de corrida, ânes pourris, prêtres, nains d'Espagne ! Chaque fois que le sang coule dans les familles, dans la rue, on le cache, on met des linges, il arrive du monde, il se forme un cercle de personnes qui empêche de voir. Il y a aussi le sang du corps de l'âme. Il saoule de blessures atroces, il coule du coin des bouches, et les

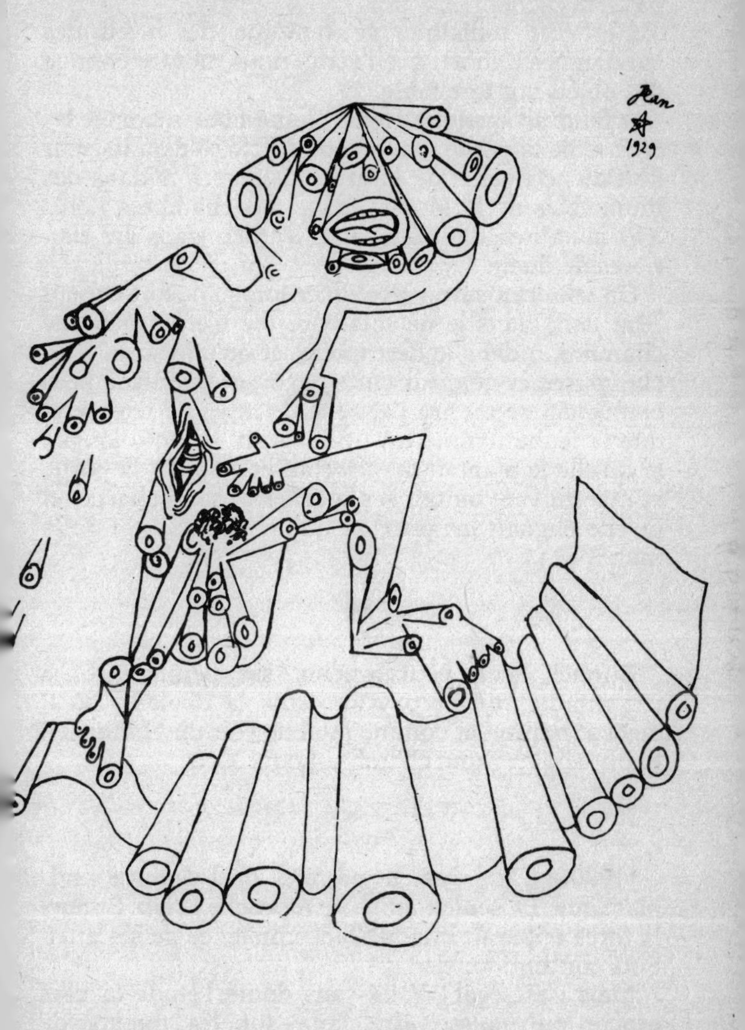
Jean
1929

familles, les sergents de ville, les badauds ne pensent pas à le cacher.

C'est cet indicible, ce fantôme du réveil des condamnés à mort, que l'écran nous montre comme des objets sur une table.

Il faudrait quelque Henri Heine pour raconter les crimes de la petite dame boulotte, le rôle où le cœur de Batcheff cesse de battre plusieurs fois dans des immeubles de la Muette, dans des chambres Louis XVI maudites, dans des salles d'étude, dans des clairières de duel.

On voudrait savoir expliquer lorsqu'il était debout (Batcheff) dans je ne sais quoi (ce n'était plus une chambre...) dans le désespoir ? et qu'il avait la bouche murée et que, sur cette peau qui murait la bouche venait se mettre l'aisselle de la jeune femme et que la jeune femme lui tirait, tirait, tirait la langue et qu'elle le plantait là et sortait et claquait la porte, et que du vent agitait ses mèches et son écharpe, et qu'elle clignait les yeux, et que c'était le bord de la mer.

*

Bunuel, seul, peut amener ses personnages à ces minutes de paroxysme dans la douleur, où il devient naturel et comme fatal de voir un homme en habit labourer une chambre Louis XVI.

*

(1930.) L'AGE D'OR, le premier chef-d'œuvre antiplastique. La seule ombre de reproche : chez Bunuel la force apparaît toujours accompagnée de ses attributs conventionnels.

Mais c'est égal ! Voilà sans doute l'étude la plus exacte qui puisse être faite sur les mœurs de l'homme, par un être qui nous dominerait, comme nous dominons les fourmis.

*

Film révélateur. Il est inutile de s'entendre sur quoi que ce soit avec des personnes capables de rire aux épisodes de la vache et du chef d'orchestre.

*

LE CUIRASSÉ POTEMKINE, d'Eisenstein, illustre cette phrase de Goethe : *Le contraire de la réalité pour obtenir le comble de la vérité.*

Pour un Dreyer la technique de Bunuel doit être médiocre, comme si, en 1912, un peintre eût exigé que Picasso copiât le papier journal en trompe-l'œil au lieu de coller du papier journal.

Si Bunuel intrigue Eisenstein, ce doit être à travers Freud. Complexe de la main, de la porte. Son film doit choquer un Russe comme étant le comble de l'étalage individuel : une plaie qu'on exhibe, les fesses de Jean-Jacques, un dossier de police, une fiche de réaction Wassermann.

Bunuel pourrait répondre que LE POTEMKINE est un documentaire et documente sur Eisenstein, puisque par son film la masse s'incarne en un seul homme qui l'exprime et s'exprime du même coup.

On documente toujours, et toute œuvre est une œuvre de circonstance. Impossible d'en sortir. Mais il faut avouer qu'une des nombreuses réussites du POTEMKINE est de n'avoir l'air tourné par personne, joué par personne.

*

(1930.) J'ai connu Eisenstein. J'avais vu juste. Il inventa l'escalier des meurtres à la dernière minute. Cet escalier entre dans l'Histoire russe. Alexandre Dumas, Michelet, Eisenstein, seuls vrais historiens.

Les faits tragiques prennent la puissance de ces petites anecdotes obscènes, anecdotes anonymes qui se perfectionnent de bouche en bouche et finissent par devenir les histoires-types d'une race. Histoires juives, histoires marseillaises.

*

Lettre de Columbia. — Après ma convalescence, si j'enregistre des poèmes, j'éviterai de faire tirer une photographie de ma voix. Encore un problème qui se pose. Le résoudre ouvrirait une porte à des possibilités étonnantes de disques devenus des objets auditifs au lieu d'être de simples photographies pour l'oreille.

Mise en place improvisée des mots, veine de l'émotion, rencontre fortuite de paroles graves et d'un orchestre de dancing, hasard statufié, somme toute un moyen de prendre la chance au piège, de créer du définitif, moyen absolument neuf, absolument impossible lorsqu'il fallait payer chaque soir de sa personne.

Éviter les poèmes du style PLAIN-CHANT, choisir les poèmes d'OPÉRA, seuls assez durs pour se passer du geste, du visage, du fluide humain, pour tenir le coup à côté d'une trompette, d'un saxophone, d'un tambour noirs.

*

Parler bas très près du microphone. S'appliquer le microphone contre le cou. Je suppose qu'ainsi n'importe quelle voix agréable battrait Chaliapine, Caruso.

*

Réenregistrer des disques. Changements de vitesse redevenus normaux. Voix célestes.

*

Il importe que la voix ne ressemble pas à ma voix, mais que la machine use d'une voix propre, neuve, dure, inconnue, fabriquée en collaboration avec elle. LE BUSTE, par exemple, déclamé, clamé, par une machine comme par le masque antique, par l'antiquité.

Ne plus adorer les machines ou les employer comme main-d'œuvre. Collaborer avec.

*

Le capitaine hollandais Vosterloch découvre en Terre de Feu des indigènes de couleur *bluastre*, qui correspondaient par des éponges capables de retenir « le son et la voix articulée ».

« De sorte que, quand ils veulent mander quelque « chose ou conférer de loin, ils parlent de près à « quelqu'une de ces éponges, puis les envoient à leurs « amis qui, les ayant reçues, en les pressant tout dou- « cement, font sortir des paroles comme de l'eau, et « savent, par cet admirable moyen, tout ce que leurs « amis désirent. »

Courrier Véritable
(Avril 1632).

On pense à la plante découverte par Fogar au fond de l'eau (IMPRESSIONS D'AFRIQUE) et qui conservait les images.

Avec quel plaisir on applaudirait Stravinsky sur les joues de ses voisins.

*

Si vous vous étonnez qu'une personne se montre supérieure à ce qu'elle devrait être par suite de son éducation, de sa formation, de son milieu, de ses amis, il y a des chances pour qu'elle fume.

*

On s'emploie à me faire transpirer jour et nuit. L'opium se venge. Il n'aime pas que ses secrets transpirent.

*

Phrase d'un rêve : Donnez à cette boîte de bonbons un tour de faveur.

*

Ce matin, les oiseaux jubilent. J'avais oublié le matin, les oiseaux,

huit, huit, huit,
huit, huit, huit,
huit, huit, huit ! colifichet des cages,
huit, huit, huit ! collets du bocage,
huit, huit, huit ! boucles des ciseaux ;
huit, huit, huit ! circuit d'hirondelles,
huit, huit, huit ! chiffre ayant des ailes,
huit, huit, huit ! disent les oiseaux.

Le garçon de l'hôtel de la Poste, à Montargis, amené gracieusement par les oiseaux (huit, huit, huit ! les salières. Huit, huit, huit ! l'arrosage entre les caisses vertes des fusains du trottoir, huit, huit, huit !) savait voler sans le moindre calembour, sans le moindre appareil.

LA PATRONNE : « Anselme, volez donc un peu pour faire voir à Monsieur Cocteau. »

Je note textuellement les absurdités transparentes du demi-sommeil matinal.

*

J'ai fait, cette nuit, mon premier rêve, long, colorié, depuis la cure, avec des volumes et une atmosphère générale. Intoxiqué, je me rappelais un fantôme de scénario du rêve, le cadre qu'il remplissait. Aujourd'hui, je me rappelle presque tout le rêve, habité de personnages exacts et de personnages fictifs, des dialogues très plausibles avec des femmes que je ne connais pas mais que je devrais connaître. Il y avait Mary Garden.

A propos d'un itinéraire et d'un film tiré du DIABLE AU CORPS, ce rêve empruntait un épisode, non à la réalité, mais à un autre rêve ancien dont je me rappelais l'avoir fait au moment où je rêvais l'épisode. Je pris alors mon rêve pour une réalité prédite par un rêve.

*

Les épisodes des rêves, au lieu de se fondre sur quelque écran nocturne et de s'évaporer vite, veinent profondément, comme l'agate, les parages troubles de notre corps. Il existe une formation par le rêve. Elle se superpose à toute autre. On peut dire d'une personne formée pour toujours par le rêve, qu'elle a fait ses inhumanités à fond. D'autant mieux que les rêves classiques, les premiers rêves qui visitent l'enfance, loin d'être naïfs, sont *atrides* et se nourrissent de tragédie.

Les gags du film américain. Montage des films. Le rêve, au lieu de projeter ses gags atroces, monte le film en nous et nous le laisse. Ensuite ses gags peuvent servir à d'autres montages.

*

Langue vivante du rêve, langue morte du réveil... Il faut interpréter, traduire.

*

Je demande aux disciples de Freud le sens d'un rêve que j'ai fait, depuis l'âge de dix ans, plusieurs fois par semaine. Ce rêve a cessé en 1912.

Mon père, qui était mort, ne l'était pas. Il était devenu un perroquet du Pré-Catelan, un des perroquets dont le charivari reste à jamais lié, pour moi, au goût du lait mousseux. Pendant ce rêve, ma mère et moi nous allions nous asseoir à une table de la ferme du Pré-Catelan, qui mélangeait plusieurs fermes avec la terrasse des cacatoès du Jardin d'acclimatation. Je savais que ma mère savait et ne savait pas que je savais, et je devinais qu'elle cherchait lequel de ces oiseaux mon père était devenu, et pourquoi il l'était devenu. Je me réveillais en larmes à cause de sa figure qui essayait de sourire.

*

Souvent des jeunes gens étrangers écrivent aux poètes qu'ils s'excusent de les lire si mal, de savoir si mal notre langue. C'est moi qui m'excuse d'écrire une langue au lieu de simples signes capables de provoquer l'amour.

*

Un scandale à Rome. — Trésors de Pie et vols d'oiseaux. — Encore des enfants ravis par les anges. — Les anges voleurs d'enfants. — Les poètes abusent des anges. — On accuse les oiseaux de légèreté. — Léonard et Paolo di Dono témoignent.

*

Seul un oiseau pouvait se permettre de peindre la PROFANATION DE L'HOSTIE. Seul un oiseau était assez pur, assez égoïste, assez cruel.

*

Lettre de Corot : « J'ai trouvé ce matin un plaisir extrême à revoir un petit tableau de moi. Il n'y avait rien là-dessus, mais c'était charmant et comme peint par un oiseau. »

*

G. Apollinaire blessé, alors en poste au ministère des Colonies, dans un salon plein de fétiches, m'écrivant une lettre terminée par :

« Nous parlerons de vos projets
De l'Europe ou bien de l'Asie
Et de tous les dieux, nos sujets,
A nous rois de la poésie. »

la surmonte d'une banderole qui porte cette devise : « *L'oiseau chante avec ses doigts.* »

Et ce passage de LOCUS SOLUS :

« *Une fumée ténue, enfantée par le cerveau du dormeur montrait, en manière de rêve, onze jeunes gens se courbant à demi sous l'empire d'une frayeur inspirée par certaine boule aérienne presque diaphane qui, semblant servir de but à l'essor dominateur d'une blanche colombe, marquait sur le sol une ombre légère enveloppant un oiseau mort**. »

*

SOUVENIR DU MAS DE FOURQUES. — D'un geste espagnol le paon ferme son éventail. Il quitte le théâtre avec son regard cruel, sa figure émaillée, son collier de chien, son corsage d'émeraudes, son aigrette. Sa traîne de cour emporte les yeux ahuris de la foule. Penché au bord du perron, il appelle vaniteusement son chauffeur.

* Je connais de Giacometti des sculptures si solides, si légères, qu'on dirait de la neige gardant les empreintes d'un oiseau.

*

Qui paye ses dettes. — A cette époque ingrate j'aimerais écrire un livre de gratitudes. Entre autres avances de Gide, celle qu'il m'a faite en réformant mon écriture. Je m'étais, par stupidité d'extrême jeunesse, fabriqué une écriture. Cette fausse écriture, révélatrice pour un graphologue, me faussait jusqu'à l'âme. Je bouclais d'une petite boucle la grande boucle de mes *j* majuscules. Un jour qu'il sortait de chez moi, Gide, à la porte, me dit en surmontant une gêne : « Je vous conseille de simplifier vos *j*. »

Je commençais à comprendre quelle gloire piteuse on fonde sur la jeunesse et sur le brio. L'opération de cette boucle me sauva. Je m'efforçai de reprendre mon écriture véritable et, l'écriture aidant, je retrouvai le naturel que j'avais perdu.

*

Méfiez-vous de votre écriture, fermez vos lettres, reliez-les entre elles, ne faites pas un *t* qu'on puisse prendre pour un *d*.

Le comble de l'inélégance : avoir une signature illisible.

*

Un jour que j'écrivais une adresse chez Picasso, il me regarda et dit avec un sourire spécial : « Ah ! toi aussi ? » J'étais en train de relier, après coup, les lettres du nom que je venais d'écrire. Picasso sait tout ; naturellement il savait aussi cela.

*

Un écrivain muscle son esprit. Cet entraînement ne laisse guère de loisirs sportifs. Il exige des souffrances, des échecs, des fatigues, des deuils, des

insomnies, exercices inverses de ceux qui développent le corps.

*

Erreur du succès du diable chez les intellectuels. Dieu et les simples ! Or, sans le diable, jamais Dieu n'aurait atteint le grand public.

Un poète pourrait le Lui reprocher comme une concession.

*

A propos des études sur les dialectes sauvages, j'aime imaginer une traduction de Proust en sauvage où un seul mot désignerait la jalousie *qui consiste à...* ou celle *qui consiste à...* On verrait des pages réduites à une ligne et SWÉ, par exemple, signifierait DU CÔTÉ DE CHEZ SWANN.

*

J'ai éprouvé que le système de ne pas recevoir ses coupures de journaux, de compter sur le seul hasard pour nous mettre en contact avec les articles importants, nous faisait faire de grandes impolitesses. Mais comme il n'y a pas l'ombre de politesse dans les articles qui comptent, que leurs auteurs ne cherchent pas à être lus par l'artiste dont ils parlent et qu'ils traitent, du reste, comme s'il était mort, notre impolitesse ne nous prive que des articles superficiels, jamais d'études sérieuses.

*

Importance inexplicable de la poésie. La poésie considérée en tant qu'algèbre.

D'abord elle ne sollicite que les âmes les plus

dures, les âmes qui devraient la mépriser comme un luxe ; le pire de tous.

On me prouverait que je me condamne à mort si je ne brûle pas l'ANGE HEURTEBISE, je le brûlerais peut-être.

On me prouverait que je me condamne à mort si je n'ajoute ou ne retranche pas une syllabe au poème, je ne pourrais pas y toucher, je refuserais, je mourrais.

*

Quand je vois tous les artistes qui faisaient profession de mépriser le monde parce qu'ils n'y étaient pas encore reçus, tomber dans le snobisme après la quarantaine, je me félicite d'avoir eu la chance d'aller dans le monde à seize ans et d'en avoir eu par-dessus la tête à vingt-cinq.

*

En faveur de l'opium. L'opium anti mondain. Sauf chez quelques personnes actives et d'une santé débordante, l'opium supprime toute mondanité.

Je me rappelle exactement (je ne fumais pas encore) quel soir je décidai de ne plus sortir et j'eus la preuve que les artistes mondains se déclassent.

C'était à l'ambassade d'Angleterre. L'ambassadrice donnait une réception pour le prince de Galles.

Le pauvre prince, en uniforme, en bottes, rougissait, faisait la danse de l'ours d'une jambe sur l'autre, tripotait ses cuirs, baissait la tête, seul sous un lustre, au centre d'un vaste bassin de parquet miroitant. La foule des invités debout se pressait jusqu'à certaine ligne idéale, et les personnes présentées traversaient l'espace verni. Les dames plongeaient et s'en retournaient ; les hommes présentés étaient rares.

Tout à coup, l'ambassadeur, Lord D..., s'approche de moi, m'empoigne au collet, me traîne plus mort que vif et me jette au prince comme un os à un chien avec cette phrase : « *En voilà un qui vous amusera.* »

J'avoue avoir la riposte lente. D'habitude je trouve mes ripostes trop tard et je me ronge. Cette fois les réflexes de riposte fonctionnèrent à merveille. Le prince me considérait, au comble de la gêne. JE L'INTERROGEAI. C'était sans doute la première fois qu'on l'interrogeait. Il répondit, la mine stupéfaite, doux comme un agneau.

Le lendemain, Reginald Bridgeman, secrétaire particulier de Lord D... et qui devait devenir leader des travaillistes, me rapporta que toute l'ambassade se demandait pourquoi j'avais interrogé le prince. « Explique-leur, lui dis-je, qu'après la grossièreté de l'ambassadeur, il ne me restait qu'à interroger le prince pour lui faire comprendre qu'il se trouvait avec un égal * » (Le prince, par la suite, dut croire que j'avais bouffonné, afin de justifier la phrase de l'ambassadeur.)

De ce jour j'envoyai des lettres priant qu'on me rayât sur les listes et je jetai mon frac aux orties.

*

X... refuse la croix. A quoi sert de refuser si l'œuvre accepte ? La seule chose dont on puisse s'enorgueillir, c'est d'avoir fait son œuvre de telle sorte qu'une récompense officielle de votre travail ne puisse être envisagée par personne.

Beaucoup de modes surprenantes du costume sont venues de ce qu'un homme ou une femme illustres cachaient quelque infirmité.

*

La lettre anonyme est un genre épistolaire. Je n'en ai jamais reçu qu'une et elle était signée.

* *Un homme.*

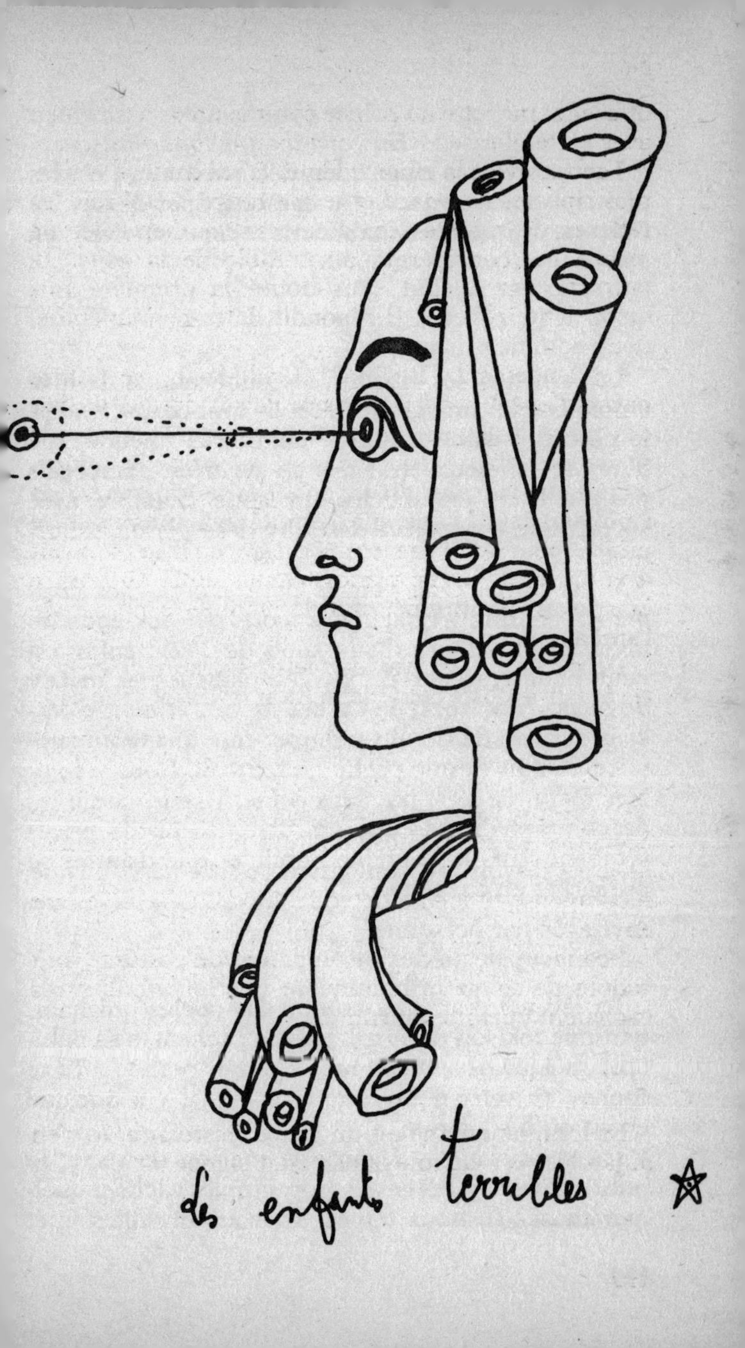
les enfants terribles

*

Les artistes, les magazines, découvrent en 1929 les photographies prises par-dessous, par-dessus, à l'envers, qui nous enchantaient et nous servirent en 1914.

*

Les affiches, les vitrines, les publications de luxe emploient sur une grande échelle tout ce qui rendait le désordre d'une chambre comme la mienne, rue d'Anjou, fabuleux en 1916. Je ne m'en apercevais pas. Je lisais les articles sur cette chambre avec surprise. Je trouvais ce désordre désespérant et normal.

Il est curieux de voir le petit monde qui croit mener le train s'imaginer encore que les époques aboutissent. « Ouf ! dit le snob de 1929, enfin, on peut photographier de vieilles planches et mettre dessous : New York, ou un bec de gaz, et mettre dessous : Étude de nu, ou montrer côte à côte un supplice chinois et une partie de football. Nous y sommes enfin. Ce n'est pas sans peine. Vive le studio ! », ne comprenant pas que ces divertissements privés tombent dans le domaine public et que d'autres se préparent en cachette.

*

La légende s'amasse autour des poètes qui habitent une maison de verre. S'ils se cachent, s'ils habitent quelque cave inconnue, le public pense : « Tu te caches, tu veux nous faire croire qu'il y a quelque chose où il n'y a rien. »

En revanche, s'il regarde la maison de verre, le public pense : « Tes gestes trop simples cachent quelque chose. Tu nous dupes. Tu nous mystifies » ; et chacun commence à deviner, à déformer, à interpréter, à chercher, à trouver, à symboliser, à mystifier.

Les personnes qui m'approchent et découvrent le pot aux roses, me plaignent, s'indignent ; elles ne savent pas les avantages d'une légende absurde : lorsqu'on me brûle, on brûle un mannequin qui ne me ressemble même pas. Une mauvaise réputation devrait être entretenue avec plus d'amour et plus de luxe qu'une danseuse.

J'éclaire ainsi la belle phrase que m'écrivait Max Jacob : *Il ne faut pas être connu pour ce qu'on fait.*

La gloire anthume ne doit servir qu'à une seule chose : après notre mort, permettre à notre œuvre de débuter avec un nom.

*

Parce que j'ai autorisé Louis Moyses, qui mérite toutes les aides, à prendre comme fétiches, pour ses enseignes, des titres de mes ouvrages, les gens croient que je dirige des bars où mes habitudes et ma santé ne me permettent même plus de me rendre. J'ai visité le GRAND ECART un matin et je ne connais les ENFANTS TERRIBLES que par des photographies. Cela n'empêche pas les noctambules de m'y reconnaître et la police d'inscrire sur ses fiches : tenancier du BŒUF SUR LE TOIT, poète à ses heures (sic-).Douce France ! Et dire qu'à l'étranger on me caresserait partout, on me logerait, on me comblerait. Ma paresse, style noble : mon patriotisme, préfère la France ingrate. Il est vrai que Paris est une des seules capitales où l'on ne cherche pas encore à ôter la nicotine. Un de mes amis habitait à Berlin l'hôtel ADLON. Le soir, au restaurant, une ravissante personne lui demande du feu. « Vous habitez l'ADLON ? — Oui, comment le savez-vous ? — Je suis le liftier de l'hôtel. »

A ce moment, ajoute mon ami, je ne distinguai plus que du vide. C'est le résultat d'un pays qui ôte la nicotine. Il ne restait plus devant ma table ni homme ni femme, ni poule, ni liftier — le vide.

Nous aurons vite le génie ôté de l'art, considéré comme nicotine. C'est presque le cas en Russie où la dernière ressource d'un Eisenstein sera de mettre ses trouvailles cinématographiques sur le compte du rêve. « C'était un rêve ! » — « Ce n'était qu'un rêve ! » donc d'un individualisme inoffensif.

*

J'ai vécu si passionnément, si aveuglément chacune de mes périodes, qu'il m'arrive d'avoir complètement oublié l'une d'elles. Un objet, une personne qui la marquèrent, sautent dans ma mémoire, sans aucune attache. D'où est-il ? D'où est-elle ? Je cherche. Je ne trouve pas. Le décor a disparu.

Je ne parle pas des grands acteurs ou des grands décors du drame.

*

TESTE N'EST PAS VALÉRY

Monsieur Teste voudrait explorer l'île déserte que j'habite depuis ma naissance et dont je ne peux plus sortir.

Parfois il arrive jusqu'au bord et rôde et cherche à vaincre le sommeil mortel que versent les premiers arbres. C'est le moment, après dîner, où Madame Teste le regarde s'éloigner assis, ne laissant au fauteuil qu'une grande masse vide qui fume.

Si je m'aventurais, moi, homme du milieu, je pourrais l'apercevoir de loin, appuyé contre un arbre pareil à sa colonne d'Opéra. Mais quitter le milieu de l'île m'effraie, et puis, à quoi bon ? Son orgueil ne descendrait Jamais à prendre un air d'interroger les indigènes. Au reste, je parle une autre langue. Ensuite, cette île je la connais mal. J'en ai l'habitude. Je la souffre. Il me faudrait le rapport d'un touriste, d'un Teste, et un Teste n'y pénètre pas.

(Octobre 1929.)

*

ACTES GRATUITS.

Lafcadio croit tuer gratuitement. Or il jette par la portière ce qu'il a toujours jeté par la fenêtre, le type que son type expulse, ne peut admettre sous peine de mort.

Lafcadio vidant F..., c'est comme s'il se regarde dans la glace du wagon, se presse l'aile du nez entre les ongles, fait sortir la graisse morte. Je l'imagine après cet acte d'hygiène, de coquetterie (le meurtre), se rasseyant, se tamponnant, époussetant d'une pichenette le revers de son costume neuf. *(1930.)*

*

L'opium a bon dos. Après une désintoxication je retrouve des misères que je mettais sur son compte et qu'il atténuait ; je me souviens des mêmes misères me torturant jadis, alors que je ne le connaissais pas. *(1930.)*

*

Un jour que je me rendais rue Henner, en passant rue La Bruyère où j'ai vécu ma jeunesse au 45, hôtel dont mes grands-parents habitaient le premier étage et nous l'entresol (le rez-de-chaussée, formé de remises, du vestibule, ne comprenait qu'une salle d'études ouverte sur la cour et les arbres du jardin Pleyel), je décidai de vaincre l'angoisse qui, d'habitude, me faisait courir par cette rue en sourd et en aveugle. La porte cochère du 45 étant entrouverte, je pénétrai sous la voûte. Je regardais avec surprise les arbres de la cour où je me partageais l'été entre ma bicyclette et la décoration de guignols, lorsqu'une concierge soupçonneuse, sortant d'une haute lucarne, jadis condamnée, me demanda ce que je faisais là. Comme je répondais que je venais jeter un coup d'œil sur ma maison d'enfance, elle dit : « Vous m'étonnez beaucoup », quitta la lucarne, vint me rejoindre par le vestibule, m'inspecta, ne se laissa convaincre par aucune preuve, me chassa presque et claqua la porte cochère, soulevant avec ce bruit de canonnade lointaine une foule de souvenirs nouveaux.

Après cet échec, j'imaginai de parcourir la rue depuis la rue Blanche jusqu'au 45, de fermer les yeux et de laisser traîner ma main droite sur les maisons et les réverbères comme je faisais toujours en rentrant de classe. L'expérience n'ayant pas donné grand-chose, je m'avisai qu'à cette époque ma taille était petite et que ma main traînait actuellement plus haut, ne rencontrait plus les mêmes reliefs. Je recommençai le manège.

Grâce à une simple différence de niveau, et par un phénomène analogue à celui du frottement de l'aiguille sur les aspérités d'un disque de gramophone, j'obtins la musique du souvenir et retrouvai tout : ma pèlerine, le cuir de ma serviette, le nom du camarade qui m'accompagnait et de nos maîtres, certaines phrases exactes que j'avais dites, la couverture marbrée de mon carnet de notes, le timbre de voix de mon grand-père, l'odeur de sa barbe, les étoffes des robes de ma sœur et de maman qui recevaient le mardi.

*

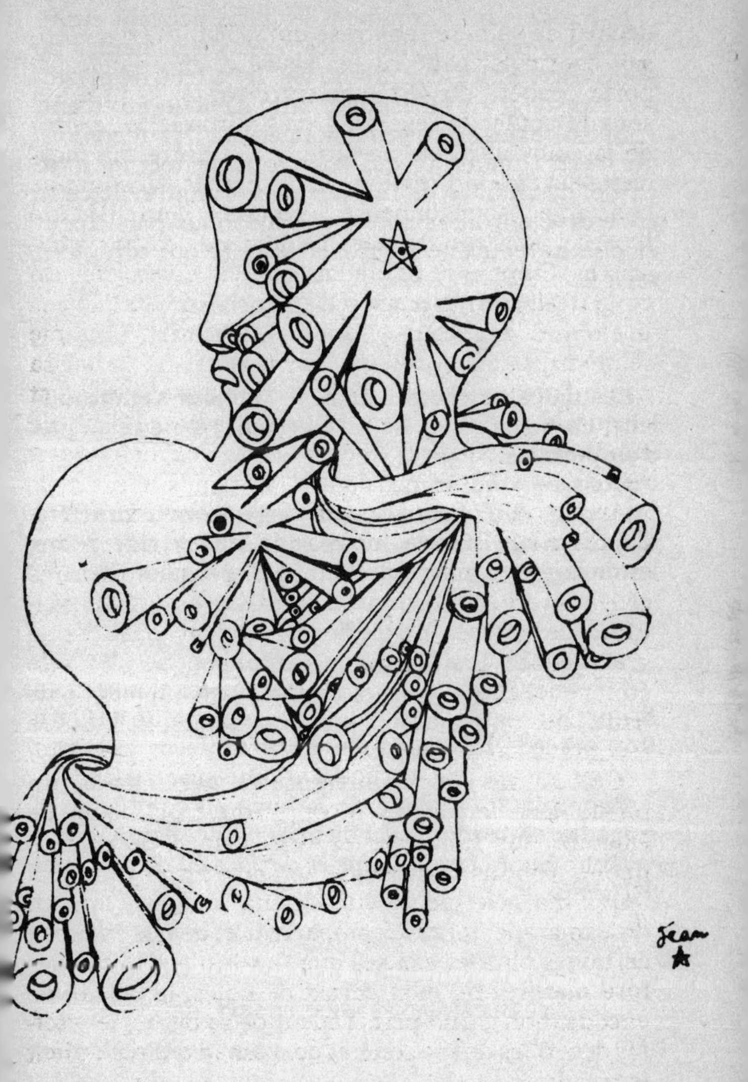
Jean

Je me demande comment les gens peuvent écrire la vie des poètes, puisque les poètes eux-mêmes ne pourraient écrire leur propre vie. Il y a trop de mystères, trop de vrais mensonges, trop d'enchevêtrement.

Que dire des amitiés passionnées qu'il faut confondre avec l'amour et qui sont tout de même autre chose, des limites de l'amour et de l'amitié, de cette zone du cœur auquel des sens inconnus participent et que ne peuvent comprendre ceux qui vivent en série ?

*

Les dates se chevauchent, les années s'embrouillent. La neige fond, les pieds volent ; il ne reste pas d'empreintes.

L'espace joue un peu le rôle du temps. C'est déjà un recul. Un étranger, qui juge notre caractère d'après notre œuvre, nous juge mieux que notre entourage, qui juge notre œuvre d'après nous.

*

Je rêve qu'il me soit donné d'écrire un ŒDIPE ET LE SPHINX, une sorte de prologue tragi-comique à ŒDIPE ROI, précédé lui-même d'une grosse farce avec des soldats, un spectre, le régisseur, une spectatrice.

Représentation allant de la farce au comble de la tragédie, entrecoupée de mes disques et d'un tableau vivant : *Les Noces d'Œdipe et de Jocaste* ou *La Peste à Thèbes.*

SIX SEMAINES APRES LE SEVRAGE

Depuis huit jours je retrouve bonne mine et la force de mes jambes. (Jouhandeau me fait remarquer une chose exacte : mes mains ont encore mauvaise mine.) Or je constate que depuis huit jours je ne peux plus écrire sur l'opium. Je n'en ai plus le besoin. Le problème de l'opium s'éloigne. Il faudrait que j'invente.

Donc, j'éliminais par l'encre, et même, après les éliminations officielles, il se faisait une élimination officieuse dont la fuite prenait corps, à cause de ma volonté d'écrire et de dessiner. Dessins ou notes auxquels je n'accordais qu'une valeur de franchise et qui me semblaient un dérivatif, une discipline des nerfs, deviennent le graphique fidèle de la dernière étape. La sueur, la bile précèdent quelque substance fantôme qui se serait dissoute sans laisser d'autres traces qu'une grosse dépression, si un porte-plume ne l'avait canalisée, lui prêtant volume et contour.

Attendre, pour prendre ces notes, une étape de calme, c'était tenter de revivre un état inconcevable dès que l'organisme ne s'y trouve plus. N'ayant jamais accordé la moindre importance au décor, et comme j'employais l'opium à titre de remède, je n'ai pas souffert de voir disparaître mon plateau. Ce qu'on renonce est lettre morte pour ceux qui s'imaginent que le décor joue un rôle. Je souhaite que ce reportage trouve une place entre les brochures de médecins et la littérature de l'opium. Puisse-t-il servir de guide aux novices qui ne reconnaissent pas, sous la lenteur de l'opium, une des figures les plus dangereuses de la vitesse.

*

Première sortie en auto. J'ai été lire LA VOIX HUMAINE au Comité de Lecture de la Comédie-Française. Petite chambre sombre, pleine de tableaux qui représentent Racine, Molière, Rachel. Tapis vert. Lampe de juge d'instruction. Les sociétaires écoutent avec les poses de quelque toile célèbre : « Lecture de

X... par Z... » L'administrateur, en face de moi. Derrière lui, un Burgrave à barbe blanche.

« Pourquoi confiez-vous une pièce à la Comédie-Française ? » Cette question m'est sans cesse posée. Elle est absurde. Outre que la Comédie-Française est un théâtre comme un autre, mieux tenu qu'un autre, avec un cadre en or qui avantage et un public plus avide de sentiments que de sensations, sa scène reste la seule où puisse se caser un acte.

Le boulevard a changé de place. Il est maintenant aux scènes dites d'avant-garde. Le public y cherche des audaces excitantes et le succès empêche les directeurs d'y varier et d'y essayer les œuvres.

L'ancien théâtre d'avant-garde est remplacé par les studios du cinématographe qui détrôna l'ancien boulevard. Les dramaturges survivants de cet ancien boulevard essayent de rajeunir leurs formules.

Bref, comme les théâtres jeunes sont encombrés, que le public de ces théâtres s'attend à tout, sauf au neuf qui, démodant la mode, ne semble pas à la mode, et que Paris répugne au système qui consiste, en Allemagne, à donner une heure de théâtre, après le théâtre, il ne reste que la Comédie-Française capable de mettre au milieu de la représentation ces espèces courtes, que l'habitude force les autres théâtres à sacrifier en lever de rideau.

*

Mort du théâtre par le film parlant, donc renaissance du vrai théâtre.

Ce théâtre qui semblait trop singulier, trop exceptionnel pour vivre, survivra seul parce que rien ne saurait prendre sa place. Toute forme pure est irremplaçable. Irremplaçables les reliefs, les couleurs, le prestige de la chair humaine, le mélange du vrai et du faux.

Le théâtre du boulevard deviendra le film parlant perfectionné. L'acte, l'acte rapide, vif, trapu, où placer l'acte, sinon à la Comédie-Française, qui conserve les restes d'une époque où les fêtes, les ballets royaux, permettaient le spectacle court ?

L'acte retrouvera sa place entre un film classique de Chaplin et un film parlant. Cette sorte de programme qui comporterait en outre les meilleurs numéros de music-hall sera l'origine de la future Comédie-Française. Et, ce théâtre, je le conseille dans un quartier capable de fournir une base de public, un public *de quartier* auquel viendra se joindre le public des snobs et des amateurs (Montparnasse). J'ajoute qu'il le faudrait simple, dans le style rouge et or avec des éclairages modèles et de jeunes machinistes qui valent tous les ascenseurs et scènes tournantes du monde.

*

Mon enfance : les Jules Verne rouges à tranches d'or, Robert Houdin, les bustes, les cires, les manèges de foire.

Comédie-Française. Les bustes, les balustrades, les girandoles, le velours, les draperies, la rampe : merveille ! épée de feu séparant le monde fictif du nôtre, et le rideau solennel qui ne devrait se lever que sur des chambres de meurtre, sur des groupes historiques du Musée Grévin, sur les farces cruelles de Molière, sur la fatalité des Atrides.

La Voix humaine, acte inesthétique, acte de présence contre les esthètes, contre les snobs, contre les jeunes (les pires snobs), capable d'émouvoir seulement ceux qui n'attendent rien et ne préjugent pas.

Faire dire aux autres : « *Ce n'est pas du Cocteau. Pourquoi a-t-il écrit cela ? Un tel pourrait le faire aussi bien et même mieux car il est plus habile.* »

Rejoindre le vrai public qu'on ne trouve qu'à la Comédie-Française et à Bobino. Grosses recettes. Salle comble. Rappels. Ce n'est pas le public qu'il faut choquer, c'est l'élite ; obtenir un scandale de banalité, entrer au répertoire, tenir l'affiche. L'erreur serait, en 1930, d'obtenir un scandale comme PARADE en 1917 et de quitter l'affiche.

*

Faire dire : c'est du Bataille ! aux gens qui prennent un paysage de Corot pour un paysage d'Harpignies.

*

Peut-être l'idée d'un seul personnage en scène est-elle venue de mon enfance. Je voyais ma mère partir en robe décolletée pour la Comédie-Française. Mounet-Sully jouait LA GRÈVE DES FORGERONS après L'ÉNIGME d'Hervieu. Il jouait ce monologue, entouré d'une figuration de sociétaires : juges, jurés, gendarmes. Je rêvais de ce théâtre, que je ne soupçonnais pas si proche de Guignol par ses dorures et son spectacle. Je me demandais comment un seul acteur pouvait jouer une pièce.

*

Le principe de nouveauté devient très difficile à reconnaître lorsqu'une époque nous oblige à le dépouiller de ses attributs habituels de bizarrerie.

*

Autant il est simple de se mettre de plain-pied avec le public par une volte-face assez laide, autant il est difficile d'arriver à ce que la courbe de notre œuvre nous amène à ce point idéal de contact où travaillent toujours des Shakespeare, des Charlie Chaplin.

On commence à voir ce qui fera le ridicule de 1930. Comme 1900 reste l'époque de la pyrogravure, du modern-style, du Palais de Glace, de la valse lente, du cake-walk, 1930 sera l'époque des contrastes, contrastes à la Hugo, à la Balzac, dont les films de montage, entre autres leur chef-d'œuvre : LA MÉLODIE DU MONDE, garderont le type suprême. Tous ces contrastes d'idées sortent du contraste des formes : cube et boule.

Je suis incapable d'écrire une pièce et de la monter pour ou contre quelque chose ; mais je me félicite qu'un instinct de révolte, l'esprit de contradiction qui habite le poète, m'aient soufflé une pièce d'unité, de statisme, une contradiction complète aux syncopes du jazz et du cinématographe actuels.

*

Ma prochaine œuvre sera un film.

*

Avril 1930. Je voulais répondre aux critiques, profiter du manque d'amertume certain, m'appuyer sur la réussite d'une œuvre faite pour la réussite. Tristan Bernard me téléphone : Achetez LE JOURNAL. En première page il répond à ma place, il m'épargne cette faute de goût.

... *Une pièce comme l'acte de Jean Cocteau,* LA VOIX HUMAINE, *a beaucoup effaré nos bons juges. Et, pourtant, ils étaient dociles, plutôt bien disposés, prêts à suivre l'auteur dans la direction où ils attendaient qu'il s'engageât. Or, brusquement, celui-ci les met en défaut. Son acte, simple et profond, montre une vérité que l'on n'attendait pas, à laquelle on n'était pas habitué, une vérité vierge. Les experts se sont arrêtés devant l'éclat déconcertant de cette pièce d'or, qui semblait ne pas avoir cours, parce qu'elle n'avait pas assez roulé.*

*

Les auteurs dramatiques touchent à la Société des Auteurs en raison du nombre d'actes des pièces.

J'enregistrais LA VOIX HUMAINE :

La dactylo : Comédie-Française... nombre d'actes ?

Moi : Un seul. Je le regrette !

La dactylo : Ça vous fait toujours un pied dans la maison.

*

LES ENFANTS TERRIBLES ont été écrits sous l'obsession de *Make Believe* (SHOW BOAT) ; ceux qui aiment ce livre doivent acheter ce disque et le relire en le jouant.

*

Guéri, je me sens vide, pauvre, écœuré, malade. Je flotte. Je sors après-demain de la clinique. Sortir où ? Il y a trois semaines, je ressentais comme une allégresse, j'interrogeais M... sur l'altitude, sur de petits hôtels dans la neige. J'allais sortir.

Or c'est un livre qui allait sortir. C'est un livre qui sort, qui *va sortir*, comme disent les éditeurs. Ce n'est pas moi... Je peux crever, il s'en moque... La même farce recommence toujours et toujours on s'y laisse prendre.

Il était difficile de prévoir un livre écrit en dix-sept jours. Je pouvais penser qu'il s'agissait de moi...

Le travail qui m'exploite avait besoin de l'opium ; il avait besoin que je quittasse l'opium ; une fois de plus je suis sa dupe. Et je me demandais : refumerai-je ou non ? Inutile de prendre un air désinvolte, cher poète. Je refumerai si mon travail le veut.

*

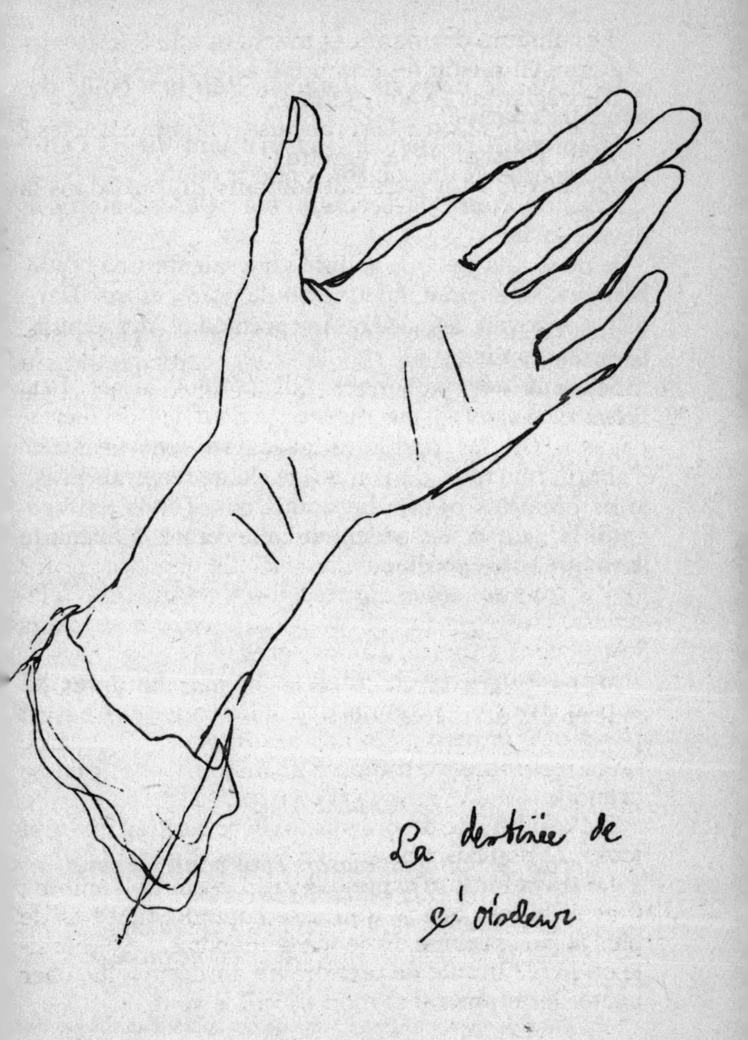
La destinée de
l'oiseleur

Et si l'opium le veut.

*

La boule de neige de Dargelos était une boule de neige très dure.

Maintenant j'ai tant lu, on m'a tant dit : « Cette boule contenait une pierre », que je doute.

L'amour donne la seconde vue ; Gérard aurait-il deviné juste ?

Je ne savais pas que le livre s'ouvrait sur une boule blanche, se fermait sur une boule noire, et que Dargelos envoyait les deux. Air prémédité des équilibres instinctifs.

Souvent des personnes qui croient aimer LES ENFANTS TERRIBLES me disent : « Sauf les dernières pages ». Or, les dernières pages se sont inscrites d'abord, une nuit, dans ma tête. Je ne respirais plus, je ne bougeais pas, je ne notais pas. J'étais partagé entre la peur de les perdre et celle d'avoir à faire un livre qui en serait digne.

*

Poème ayant servi de mise en marche après le cadeau des dernières pages.

LE CAMARADE *

Ce coup de poing en marbre était boule de neige,
Et cela lui étoila le cœur
Et cela étoilait la blouse du vainqueur,
Étoila le vainqueur noir que rien ne protège.

* LE CAMARADE est enregistré sur une des faces d'un disque de Columbia. Il se trouve aussi dans le film : LA VIE D'UN POÈTE, commencé en avril, terminé en septembre 1930.

Il restait stupéfait, debout
Dans la guérite de solitude,
Jambes nues sous le gui, les noix d'or, le houx,
Étoilé comme le tableau noir de l'étude.
Ainsi partent souvent du collège
Ces coups de poing faisant cracher le sang,
Ces coups de poing durs des boules de neige,
Que donne la beauté vite au cœur en passant.

Saint-Cloud, février 1929.
Notes de 1929 et de 1930. Roquebrune.

Composition réalisée par S.C.C.M. – Paris XIVe

IMPRIMÉ EN FRANCE PAR BRODARD ET TAUPIN
Usine de La Flèche (Sarthe).
LIBRAIRIE GÉNÉRALE FRANÇAISE - 6, rue Pierre-Sarrazin - 75006 Paris
ISBN : 2 - 253 - 13795 - 2 31/3795/7